LE TEMPS D'UN SOUPIR

Née le 20 juin 1917 à Bruxelles, Anne Philipe fait ses études en Belgique, puis s'installe en France au début de 1939. En 1951, elle épouse le célèbre comédien et acteur de cinéma Gérard Philipe (mort en 1959).
En 1955 paraît sous le titre *Caravane d'Asie* le journal du voyage exceptionnel qu'elle a fait en 1948 après un séjour d'un an en Chine : elle avait entrepris de revenir vers l'Inde par la *Route de la soie* et était la première Française à traverser le Sin-Kiang avec une caravane de marchands qui se rendaient au Cachemire.
Auteur de plusieurs documentaires sur l'Asie et l'Afrique, Anne Philipe est, avec Jean Rouch, à l'origine de la création du Comité du film ethnographique. Elle a publié notamment dans *Le Monde* et dans *Libération* des reportages sur Cuba, le Venezuela, le cinéma japonais, et a assuré pendant un temps dans *Les Lettres françaises* la critique des films scientifiques et documentaires.
Elle a écrit aussi Le *Temps d'un soupir*, récit d'inspiration autobiographique paru en 1963, et *Les Rendez-vous de la colline* (1966).
Anne Philipe est décédée en 1990.

Paru dans Le Livre de Poche :

LES RENDEZ-VOUS DE LA COLLINE

ANNE PHILIPE

Le Temps d'un soupir

LE LIVRE DE POCHE

I

La tristesse est le passage de l'homme d'une plus grande à une moindre perfection.

SPINOZA.

Je me réveille tôt. Il fait encore nuit. Les yeux fermés je tente de repartir dans le sommeil, mais je ne plonge pas assez profondément. Je reste sur une plage triste et grise, à mi-chemin entre la réalité et le cauchemar. Il vaudrait mieux allumer la lampe et lire, éviter les labyrinthes où la pensée s'engage, mais la fatigue me rend passive et je dérive vers des souvenirs lumineux. Je les aborde parfois et ils m'envahissent au point que, la durée d'un instant, je les confonds avec la réalité. Mais la conscience ne désarme pas, et, de souvenir en souvenir, je glisse, en tournant la tête vers l'oreiller que je continue à poser chaque soir à ma droite, à la vision de ton visage mort, penché vers ma place vide, au moment où la vie te quitta. Je vois tes yeux ouverts, ton visage calme, absent, tes mains aux paumes détendues et qui, sur le moment, me donnèrent la preuve qu'aucune souffrance ni aucune angoisse ne t'avaient assailli. Ce jour-là, pendant les heures passées à te contempler, à tenir ta main froide qui se raidissait peu à peu, à caresser ton visage, j'avais senti que tu reposais sur notre lit comme sur un rivage et que j'étais emportée malgré moi, parce que vivante, dans un courant irrésistible. Tu étais à tout jamais immobile, j'étais pour un temps encore mouvement. La mort nous séparait pour l'éternité.

J'ouvre les yeux, j'allume la lampe, je me révolte contre moi-même. La journée commence, je ne la vois inscrire aucune trajectoire heureuse. Toi seul me voyais, moi seule te voyais. Aujourd'hui je demeure dans un monde sans regard. Je vis à vide. Je savais que cela serait ainsi. Pendant chacun de ces jours qui pouvait être le dernier, je te regardais, je voulais voir l'amour et je trouvais la mort. Je pensais : « Regarde-moi, toi aussi, car moi j'aurai au moins le souvenir, mais toi, rien. Tout va disparaître, jusqu'à ta conscience même du souvenir. Le néant. Tu vas retourner au néant. » Je me soûlais de ta vue, je me noyais dans tes gestes et dans tes regards. Je te souriais pour voir naître ton sourire, je te baisais la main pour te regarder baiser la mienne. Et je me disais que jamais, jamais, je n'oublierais cela. J'aurais voulu que chaque empreinte reste inscrite sur mon corps, que chaque caresse empêche la pourriture de s'emparer du tien. Je luttais contre l'impossible. J'étais vaincue parce que tu étais vaincu, mais tu ignorais ta défaite.

Je voudrais marcher, ne jamais m'arrêter. Ainsi seulement la vie me paraît possible. J'aimais notre pas accordé, c'était la plus belle réalité du monde. Où vais-je aujourd'hui, car marcher, ce n'est pas seulement mettre un pied devant l'autre. Où est mon but ? J'obéis aux ordres d'urgence : vivre, et faire vivre. C'est presque facile et c'est ainsi seulement en ramenant les choses à leur base que je puis accomplir ce qui est à faire.

Je suis bien dans le silence de l'hiver, sur la terre nue et sans odeur. Je m'efforce au même sommeil. Dans le printemps, je naviguerais à contretemps. Le soleil, les bourgeons, les parfums, les chants d'oiseaux me submergeraient.

Que faire devant la première fleur sinon l'aimer et vouloir vivre aussi simplement qu'elle ?

Faut-il accepter un futur dont tu es absent ?

Je marche dans les jardins du Luxembourg. Je suis les mêmes chemins qu'il y a deux ans. Il était tôt alors. Les chaises étaient abandonnées. Quelques écoliers passaient rapidement. Le jet d'eau s'élançait dans la lumière perlée du matin car il ne pleuvait pas comme aujourd'hui, bien que l'année déclinât vers l'hiver. C'était la mort pour cette feuille que le vent chassait et pour celles sur lesquelles je posais les pieds. D'autres repousseraient. Mais, pouvais-je admettre que des hommes naissent quand tu mourais ? Je tournais et retournais dans les sentiers connus et aimés. Chaque arbre se dressait comme un barreau. Je te disais tout ce que nous ne nous dirions jamais. Je respirais lentement à pleins poumons. Je n'osais m'asseoir, l'arrêt me faisait peur. Je marchais comme si j'allais sans fin à travers le monde. Je respirais comme on boit après une course. Je ne cherchais aucune solution puisque la solution existait. Elle n'était pas supportable. Voilà tout.

Jusque-là je n'avais jamais été intéressée par la mort. Je ne comptais pas avec elle. Seule la vie importait. La mort ? Un rendez-vous à la fois inéluctable et éternellement manqué puisque sa présence signifie notre absence. Elle s'installe à l'instant où nous cessons d'être. C'est elle ou nous. Nous pouvons en toute conscience aller au-devant d'elle, mais pouvons-nous la connaître, ne fût-ce que le temps d'un éclair ? J'allais être à tout jamais séparée de qui j'aimais le mieux au monde. Le « jamais plus » était à notre porte. Je savais que nul lien, sauf mon amour, ne nous relierait. Si certaines cellules plus subtiles que l'on appelle âme, continuent à exister, je me disais qu'elles ne pouvaient être douées de mémoire et que notre séparation serait éternelle. Je me répétais que la mort n'est rien, que seules la peur, la souffrance physique et la douleur de quitter ceux que l'on aime ou l'œuvre entreprise rendent son approche atroce et que cela te serait épargné. Mais ne plus être présent au monde !

Je découvrais le malheur. Il me fallait remonter jusqu'à mes souvenirs d'enfance, pour retrouver, insurmontables, ce noir de nuit et de suie, ce sentiment d'enlisement, d'étouffement. J'ai quatre ou cinq ans. Je suis à la gare avec ma mère. Nous faisons la queue devant le guichet. Lorsque notre tour arrive, ma mère dit : « Une place aller-retour et une demi-place aller pour V... » Je ne vois pas l'homme à qui elle s'adresse mais j'entends et je me serre contre elle. Je ne me rappelle plus si je me rapproche de son corps, mais je me souviens aujourd'hui encore du saut de mon sang vers elle, comme vers le seul havre, la seule sécurité du monde. Nous sommes dans le train. Je connais chaque station. Ce n'est pas la première fois que je fais le trajet. Je sais ce qui m'attend. Je calcule combien d'heures il me reste à vivre auprès de ma mère avant de la quitter pour un temps qui me semble aussi long que l'existence elle-même. Je crois que j'ai déjà appris à ne pas pleurer. Mais il y a une pieuvre dans mon corps, elle enserre mon cœur, monte jusqu'au gosier et donne à ma salive un goût amer. Je suis une enfant de divorcés comme beaucoup, l'enjeu de deux êtres qui, après s'être aimés, veulent se venger l'un de l'autre. Rien que de très ordinaire en somme. Je vais accomplir « mon temps » du côté paternel, pas chez mon père, mais chez son frère et sa belle-sœur. Le train s'arrête : V... Il ne me reste plus qu'un quart d'heure à vivre. Nous allons prendre un fiacre et là, je me serrerai contre ma mère. Le cheval avance lentement parce que la rue de France monte et dessine une large courbe. Voilà le dernier virage. Je vois la maison, blanche comme les autres, avec, au premier étage, un rétroviseur qui permet de voir, sans être vu, qui sonne ou qui passe. Il me reste encore le temps de compter jusqu'à vingt, car la voiture doit tourner puisque la maison est sur la gauche. Puis, ma mère me serrera dans ses bras et je l'embrasserai de toutes mes forces. Elle repartira par le même fiacre, sans être descendue, et moi, aux côtés de ma tante, je lui ferai de la main, un au revoir empreint d'hypocrisie, pendant que mon cœur battra à grands coups, je sais, j'ai appris, qu'ici, il ne faut rien exprimer. Je pénètre dans la maison. Première pièce à gauche, le salon. On n'y entre jamais. Housses, tapis, murs ont la même couleur. Ensuite, la salle à manger. Elle donne sur une petite cour qui, par quelques marches, conduit au jardin. Mais la seule chose que j'y vois, mon supplice, est le grand miroir auquel je fais face pendant les repas. Chaque fois que je lève les yeux, j'entends : « Ne te regarde pas dans la glace ! » Je baisse la tête et mâche sans avaler : « Mange ! » Silence. Un silence abominable, troublé seulement par le bruit des couverts. Mon oncle et ma tante ne se parlent pas. Ce n'est pas un couple, c'est un ménage, et un ménage sans enfant.

Oui, cela c'était le sentiment du malheur. Plus tard, je connus celui de la révolte et de la colère, mais j'étais bien décidée à construire mon bonheur.

II

« COMBIEN de temps ? avais-je demandé aux médecins lorsqu'ils m'avaient fait entrer dans la petite pièce à côté du bloc opératoire.

— Un à six mois, au maximum.

— Vous ne pouvez pas faire qu'il ne se réveille plus puisqu'il dort encore ?

— Non, madame. »

Cinq minutes plus tôt, je m'étais levée de ma chaise. J'étais dans la salle d'attente avec nos amis les plus proches.

« On demande Mme X. », était venue dire une infirmière. Je l'avais suivie en pensant « C'est bien court. On m'avait parlé d'une heure et demie et il y a à peine vingt minutes qu'il est monté. » Quand j'avais vu arriver vers moi les quatre médecins en blouse blanche, j'avais lu sur leur visage comme dans un livre ouvert. L'un d'eux m'avait avancé une chaise sans prononcer un mot. J'avais compris. Je vivais mon exécution, mais celui qui allait mourir dormait à quelques mètres.

« Il souffrira ?

— Non, ce sera sans doute une mort par épuisement. »

Je suis redescendue. C'était le même ascenseur, apparemment la même personne l'occupait, mais au-dedans de moi je vivais la fin du monde. J'ai dit à quelqu'un : « C'est fini. » On m'a appelée au téléphone, et j'ai commencé à mentir. Un peu plus tard je suis entrée dans la chambre, tu y étais déjà; la garde installait le goutte à goutte à ton pied gauche. Tu respirais mal à cause de la sonde nasale. Tu aurais pu reposer ainsi avec le même visage pâle et triste de ceux qui dorment encore, et que tout soit bien. C'est cela que j'avais imaginé dans mes moments de confiance : trois mauvais jours et à nouveau une vie entière devant nous. C'était trois mauvais jours et la mort au bout, et d'ici là, le mensonge entre nous.

Même endormi je n'osais te regarder avec le désespoir, la folie qui m'animaient.

Je forçai mon regard au calme, je répétais devant toi, inconscient, la comédie que j'allais te jouer et qui était tout ce qui me restait de notre vie commune. Notre dernier regard de couple, d'égal à égal, nous nous l'étions donné pendant que l'infirmière te glissait sur le chariot.

III

HUIT années ont passé. C'était un samedi. Il faisait encore froid. Dans Paris, le printemps était invisible, mais dans la campagne on le sentait déjà malgré le ciel gris et les arbres sans feuilles.

Nous roulions en consultant un petit plan que nous avait donné l'agence immobilière. Nous nous sommes trompés souvent avant d'arriver au village et de découvrir la grande grille fermée. Nous avons suivi l'allée d'arbres et tout au fond, la maison est apparue laide, jaune et rouge, affublée en son milieu d'un perron fixé comme une verrue sur le nez. Seul le toit de vieilles tuiles était élégant. Un homme âgé fauchait l'herbe d'une des pelouses. Il est venu vers nous. Il se tenait droit, un peu raide, à la manière des officiers de cavalerie. Je me souviens de sa cravate bien nouée, de son col de celluloïd et de son chapeau de feutre, de ses yeux clairs, un peu moqueurs. Il nous observait minutieusement et parlait par petites phrases courtes.

Oui, la propriété était bien à vendre. Nous pouvions la visiter. « Mais la maison, ajouta-t-il, ça ne me regarde pas. Si vous voulez, je vais appeler Madame. » Madame, c'était sa femme. Il alla la chercher, elle arriva en serrant un châle mauve sur ses épaules. Elle nous salua avec beaucoup de civilité et, les clefs à la main, nous demanda de la suivre. Nous avons ouvert les volets et exploré la maison, déjà mon imagination chantait. Chaque fenêtre découvrait un lieu d'un romantisme sublime. La maison serait ce que nous la ferions; la rivière coulait à vingt mètres, les arbres existaient, le silence habitait cette terre. Nous y ferions naître l'amour.

Le jardinier nous attendait devant la porte. Il nous emmena vers le parc pour nous présenter les arbres. Devant chacun, il s'arrêtait, touchait leur tronc, nous montrait les premiers bourgeons.

« Les marronniers ont été malades, disait-il, excepté celui qui est seul devant la maison et qui fait des fleurs si rouges qu'elles illuminent toute la façade. Le chêne est le plus beau de la région, regardez son tronc parfaitement droit, et là-haut, l'allée de cèdres à côté du petit bois de bouleaux, je l'ai connue quand on venait de la planter; c'est un des propriétaires qui a eu cette idée, le seul du reste qui connaissait quelque chose aux arbres et qui les aimait, parce que les autres, ceux qui sont venus après, ils préféraient Megève ou la Côte d'Azur. La campagne, il faut l'aimer et la connaître. Vous l'aimez, vous, la campagne ?

— Oui, nous l'aimons.

— Moi, dit-il, c'est ma vie. Mais je ne suis que le jardinier, on peut me mettre à la porte. » Il avait dit cela en nous regardant dans les yeux avec une fierté admirable.

Dès cet instant j'avais aimé monsieur B. Dans le potager, planté en trois terrasses, il nous montra les arbres fruitiers et nous parla de la terre, dont il écrasa une parcelle entre le pouce et l'index. Nous regardâmes les plants de carottes, de salades, de fraisiers, les bordures de thym, les massifs de pivoines. De l'autre côté de l'allée de marronniers, s'étendait la partie abandonnée du parc, un grand sous-bois envahi de mousse, de lierre et de bois mort, puis nous suivîmes un sentier qui borde l'Oise.

De la berge, nous fîmes signe aux mariniers qui passaient sur leur péniche. L'eau n'intéressait pas monsieur B.

« Est-ce que l'on peut se baigner pendant l'été ? »

La question dut lui paraître saugrenue.

« Si vous n'êtes pas dégoûtés, vous pouvez y aller. Il y en a qui y vont, mais c'est plein de mazout et de chats crevés. »

Au bord d'une pelouse, monsieur B. nous montra l'objet de son orgueil : des arbres taillés en forme de coqs et d'oiseaux.

« Ça c'est du travail ! Pour tailler un arbre comme cela, il faut des heures, et encore il faut savoir le faire. Aujourd'hui les jardiniers ne veulent plus apprendre, c'est trop difficile. »

C'était tout ce que nous détestions au monde, le comble de l'artificiel, mais, polis, attendris, nous avions admiré de notre mieux.

Ce fut tout pour ce jour-là. En quittant la propriété, nous nous arrêtâmes sur la hauteur. L'Oise entraînait le reflet des nuages au milieu des champs encore noirs et dans le fond, presque à la ligne d'horizon, se dressait l'église entourée de quelques maisons. C'était beau. Cela nous parut admirable. Une envie irrésistible me prit de te parler, mais je me tus ou tout au moins je tus le principal. Je n'étais pas assez sûre d'attendre un enfant pour te faire partager un bonheur incertain.

Quinze jours plus tard, nous sommes revenus. Le printemps triomphait. Nous avons arrêté la voiture au même endroit. Le soleil était déjà haut et dans le silence de la campagne, nous l'avons regardé boire lentement la brume et découvrir, enfoui dans les arbres, le toit de la maison que nous venions d'acheter.

*

Le temps s'est écoulé. Les enfants sont nés. C'est un soir comme les autres. Je t'attends. Je connais non seulement le ronflement du moteur de notre voiture, mais aussi ta façon d'accélérer ou de freiner à des endroits précis et suivant ton humeur. Les yeux fermés, j'écoute chaque bruit de la nuit. Te voilà. Tu t'arrêtes pour ouvrir la grille qui ne grince plus, tu ne la refermes pas, donc tu es fatigué, les pneus crissent sur les cailloux, les phares caressent les volets fermés, tu parles au chien, tu montes l'escalier, tu enlèves tes souliers pour ne pas me réveiller. Tu entres. Tu es là. Nous existons.

*

La maison dort encore quand je me glisse dans le jardin. C'est la plus belle heure, celle que j'appelle l'heure chinoise. La rivière scintille sous le léger brouillard, les pelouses portent la rosée de la nuit, les jets d'eau tournent dans le potager et la roseraie, le jardinier ramasse les légumes et je regarde avec lui les fruits qui mûrissent. Chaque matin je viens ainsi reconnaître les bouleaux et les cèdres, les pêchers et les figuiers, je cueille les fleurs de la saison. Quand tu te réveilleras, je te donnerai des nouvelles de nos arbres et de nos fleurs.

*

Une nuit de septembre, nous rentrons

d'un long voyage. Personne ne nous a entendus et le chien n'a pas aboyé, il nous témoigne sa joie en se collant silencieusement contre nous. Nous nous asseyons sur le muret de pierre qui domine la rivière. La pleine lune baigne la maison blanche et le parc dont nous connaissons chaque secret.

Pendant des années nous avons pressenti qu'à partir de notre amour nous pourrions construire. Construire des enfants, un métier, des amitiés, des maisons et peut-être aider à construire un monde meilleur. Le temps de l'accomplissement est venu. Nous sommes des architectes émerveillés. Cette nuit, peut-être parce que le dépaysement nous donne une acuité plus vive et parce que la nuit est si belle, nous découvrons que nos projets sont devenus la réalité.

*

Lorsque j'ai su que tu allais mourir, j'ai su dans le même temps que plus jamais je ne retournerais là-bas. Une fois, cependant, à ta demande, j'y suis allée. Monsieur B. travaillait comme la première fois que nous l'avions vu; il ramassait sur la même pelouse les feuilles mortes du marronnier à fleurs rouges. Nous nous sommes embrassés. Il m'a demandé comment tu étais. Tu étais bien. Tu reviendrais dès que tu pourrais te lever.

Les enfants ont joué. J'ai préparé le thé et nous l'avons pris en regardant l'allée d'où la voiture surgissait quand tu arrivais. Je venais là pour la dernière fois. Les lieux étaient désenchantés. Ce que nous avions créé allait vivre sans nous. Je me révoltais farouchement contre tout ceci : arbres, fleurs, chien, oiseaux et plus encore contre les choses, ces murs, ces meubles, ces bibelots, ces vêtements bien rangés dans l'armoire et qui continueraient d'être. C'est la revanche des objets, pas de vie propre mais la vie dure. Cet après-midi-là, il m'aurait paru juste et normal qu'à l'instant où tu rendrais au monde ton dernier souffle, la terre ici s'ouvre et engloutisse tout.

IV

Je me souviens d'une nuit passée dans le jardin où je marche seule aujourd'hui et que, parfois, je confonds avec les lieux que j'ai fuis depuis ta mort.

Il était minuit. Nous étions sortis les derniers du théâtre. Il neigeait. Nous marchions en nous tenant par la main. Nous n'avions ni envie, ni besoin de parler. Nous allions au hasard mais sans hésitation. Les rares voitures roulaient lentement et sans bruit. Les rues, me semble-t-il, étaient désertes mais peut-être était-ce notre amour, qui, ce soir-là, nous isolait. Nous étions proches de la nuit et du ciel, loin de Paris. Sortant de la rue Vavin, nous avons débouché sur le Luxembourg. Tu as dit : « Si nous entrions ? »

Nous avons escaladé les grilles et pénétré dans un paysage parfait. Nos pas soulevaient la neige. Nous étions heureux et conscients de l'être. C'était une joie pure, calme, faite de la conviction que tout ne pouvait être que bien. Tu as enlevé ton manteau et nous nous sommes assis dessus. Nous nous regardions dans la nuit. Je voyais tes yeux clairs et tes cils mouillés de neige. La ville était à deux pas, au-delà des grilles, elle nous entourait. Trois heures sonnèrent. Pourquoi ai-je tout à coup pensé au malheur ? Pas au nôtre, qui à cette minute-là me paraissait impossible à imaginer, mais à celui des autres. A ce moment précis, des gens mouraient, d'autres tuaient, des couples se déchiraient, des enfants pleuraient sur leur solitude, des hommes et des femmes étendus sur leur lit faisaient le compte de leur misère. Très loin d'ici, en Indochine, des hommes agonisaient ou torturaient. Pas une seconde, depuis que la vie existe, le jeu de la joie et de la souffrance, de la naissance et de la mort ne s'était arrêté et il durerait aussi longtemps que le monde. Nous restions immobiles, baignés de bonheur, nos bras enlacés, nos têtes proches. L'un de nous dit : « Nous essaierons d'être élégants si un jour nous sommes malheureux. » L'autre répondit : « Je te le promets. »

Nous sommes repartis avec les premiers bruits de la ville. En rentrant, nous n'avons pas cherché le sommeil. J'aimais cette nuit blanche, blanche comme neige et si belle que je ne voulais pas en perdre un instant.

V

Certains jours je me méfie de moi, je vis sur mes gardes. Je sais que le vertige me guette. Il faut que je sois occupée sans cesse. Je fais la fourmi. Défense de penser. Un but : atteindre l'heure suivante, et ainsi, d'heure en heure, arriver à une place qui ne soit pas cernée par le vide. Mais le mal est parfois sournois. La matinée commence bien. J'ai appris à mener une double vie. Je pense, je parle, je travaille et dans le même temps, je reste occupée de toi, mais une certaine distance rend ta présence douce, un peu floue comme ces photos mal mises au point. A ces moments-là, je ne me méfie pas, je me laisse désarmer, ma peine est sage comme un coursier bien dressé. Soudain, en une seconde, je suis prise en traître. Tu es là. Ta voix à mon oreille, ta main sur mon épaule ou ton pas dans l'entrée. Je suis perdue. Je ne puis que rester bien repliée sur moi-même, et attendre que cela passe.

Dans le corps immobile la pensée s'emballe comme un avion blessé s'abat en chandelle. Non, tu n'es pas ici, tu es là-bas, dans le néant glacé. Qu'est-il arrivé ? A la faveur de quel bruit, de quelle odeur, de quelle mystérieuse association de pensée t'es-tu glissé en moi ?

Je me bats avec toi et je demeure assez lucide pour comprendre que c'est cela le plus monstrueux, mais à cet instant précis, je ne suis pas assez forte pour te laisser m'envahir. C'est toi ou moi. Le silence de la chambre hurle davantage que la plus vive clameur. C'est le chaos dans la tête, la panique dans le corps. Je nous regarde dans un passé que je ne puis situer. Mon double se détache de moi et refait ce que je faisais alors.

J'allais d'une pièce à l'autre dans l'univers de l'appartement, comme aurait marché dans Paris ou New York un être seul à savoir l'imminence de la fin du monde. La fin du monde : ta mort. Et dans le même temps, j'éprouvais à quel point le monde allait continuer sans toi.

Pourtant j'accomplissais les gestes nécessaires. Comment pouvais-je être semblable à ce que j'avais été ? Je me regardais dans la glace, comme doit le faire une jeune femme heureuse le lendemain de ses noces. Non, rien n'était inscrit sur mon visage. La peine le marquerait plus tard mais il exprimait encore le bonheur passé. Je pouvais être tranquille, tu ne verrais rien. Mes traits et mon sourire étaient bien à leur place. Mes gestes aussi. Je prenais mon bain et nous parlions d'une pièce à l'autre. Je fermais les yeux pour mieux t'entendre. Jamais je ne t'avais écouté ainsi et je savais qu'un jour pourtant le son de ta voix s'échapperait de ma mémoire et que j'oublierais comment tu disais : « Crois-tu que dans quinze jours, je pourrais reprendre des bains ? » Je téléphonais. Je remerciais pour les fleurs qu'on t'avait envoyées. Je racontais comme l'opération s'était bien passée, je rédigeais avec toi les réponses aux lettres urgentes, puis je les tapais en te tournant le dos pour donner un peu de repos à mon visage. Je tirais des chèques, l'argent s'en allait... « Je retravaille en mars », disais-tu, puis tu ajoutais : « Je suis heureux. » Je recevais le coup de plein fouet. Etait-ce un coup de poignard ou la plus belle des caresses ? Je te trahissais avec un regard clair qui pour la première fois te mentait. Je te conduisais au bord de l'abîme et l'on me félicitait. J'avais honte mais je le faisais parce que quelque chose de plus fort, de plus impérieux encore que le goût de la vérité, qui jusque-là pour moi avait toujours prévalu, me poussait à le faire. Oui, dans un mois nous partirions nous reposer. Un chalet avec un balcon de bois, un champ de neige à nos pieds, la forêt derrière nous, les montagnes scintillantes sous le soleil. Non, plus jamais, plus jamais. Dix fois par jour je venais vers toi pour te dire la vérité. Je répétais tout bas la première phrase; je savais que tu comprendrais tout de suite : « Il faut que je te dise », ou « Nous allons nous quitter », ou « On t'a menti. » Pourquoi, de quel droit te cacher ce qui te concernait, pourquoi t'emmener en traître là où tu aurais pu aller bravement ? Je savais que tu aurais fait face.

Et tu me regardais : « Je suis bien, tu ne t'occupes que de moi, je me sens bien, je n'ai mal nulle part. » Je me taisais, je restais immobile à tes pieds, ta main posée sur moi, je reprenais ma respiration et j'imaginais ce qu'auraient été ces secondes si j'avais parlé : l'idée de la mort collée à toi jusqu'à la fin et pour moi l'atroce détente de pleurer dans tes bras, de parler de notre bonheur.

Je regardais ta cicatrice. Elle t'amusait. « Mon estomac ouvert ! »

Je la haïssais et elle me fascinait. Là, à deux ou trois centimètres de mes lèvres, vivait le cancer qui allait te tuer, te vaincre, très vite, et que tu ignorais. Comment ne voyais-tu pas ce que je pensais. Mon visage mentait aussi bien que ta cicatrice qui, elle, se refermait si candidement.

« C'est étrange, tu sais, cette impression d'avoir la poitrine ouverte.

— Oui, sûrement, et puis c'est ta première opération.

— Tu remettras ta tête sur ma poitrine quand je serai guéri ? »

D'un signe, je faisais : « Oui. » Mais plus jamais, mon amour, ou, quand tu serais mort. Je te souriais et c'est cela que je pensais. J'aurais voulu avoir le don de l'ignorance, arrêter ce qui ne s'arrête jamais puisque c'est la vie elle-même, le mouvement. Non, je voulais assumer, ce qui était dans mon domaine, dans tous les cas, puisque la mort, la privation de la vie, c'est toi qui allais la subir.

Tu me regardais avec ce sourire las qui vient de loin et se lit autant dans les yeux que sur les lèvres. Tu avais des yeux de malade, avec l'iris pâle et délavé, entre le vert et le jaune, de la couleur des roseaux qui ont soif et, le blanc semblable à de la nacre. Ton regard parfois était absent. Mon pauvre, mon bel amour. Nos jours coulaient comme coule la Seine mais pour toi le but était tout proche. Un tremblement de terre, un avion qui s'écrase, le toit qui s'effondre, quel était le bon accident qui aurait pu nous ramener au même point, au même manque d'avenir ?

Parfois, j'allais vers la fenêtre, je regardais les maisons, les gens qui passaient, les autos qui se rangeaient et je voyais écrit partout : *Il va mourir* — et cela seulement.

Je m'étendais au pied du lit, je te souriais, c'était vrai, j'étais heureuse en cet instant, puisque tu étais là. J'essayais d'isoler cette minute, d'en faire une petite île dans le temps, mais ce n'était rien, rien. Demain était barré, j'étais encerclée. Toutes mes pensées intelligentes se heurtaient au même mur : impasse, route sans issue. L'issue était là, elle était ce qu'on appelle fatale.

Tu te jetais sur chaque repas tandis que je me forçais à avaler.

« La viande est dure, as-tu dit un soir, elle est trop fraîche. »

Trop fraîche, c'est-à-dire tuée, morte, depuis trop peu de temps. J'ai eu envie de vomir.

VI

A PARIS, on regarde rarement le ciel. Chaque fois que nous quittons les villes, nous le retrouvons. Suivre la marche de la lune et des étoiles a toujours signifié pour moi une visite grave et heureuse à l'univers dont nous faisons partie. Quand je me séparais de toi, tu me donnais rendez-vous dans une étoile et il me semblait voir le fil de notre amour, ligne lumineuse, flèche de velours, trace de feu, partant de chacun de nous pour se rejoindre dans Orion.

C'est souvent en contemplant le ciel la nuit, que j'ai mesuré le plus intensément et aussi le plus raisonnablement ma joie ou ma peine, pris le mieux conscience du monde, de la place que nous y tenons, de la solitude, de la perfection de l'amour, « ...fidèle comme le soleil au jour, comme la tourterelle à son mâle, comme le fer à l'aimant, comme la terre à son centre », disait Troïlus à Cressida.

Après ta mort, pendant des mois, j'ai fui le ciel. Je l'ai retrouvé une nuit d'été, le 28 août exactement. Je scrutais les étoiles, j'en cherchais une que je découvris bientôt. Elle filait d'ouest en est, seule et sage. Elle était née de la main et de l'intelligence de l'homme, et s'appelait « Echo II ». C'est grâce à elle que je renouai avec la nuit. Ce soir-là, je restai longtemps dehors à guetter son retour. Il me semblait avoir remporté une victoire. J'avais eu honte de la guerre d'Algérie, des déportations et des procès truqués; j'étais fière de vivre au moment où pour la première fois des hommes pénétraient dans le cosmos. Cependant, j'étais là, les bras vides, à quelques centaines de mètres de ce qui restait de toi. Jamais tu ne connaîtrais le monde qui commençait à naître. Notre vie ne te concernait plus. Et je ne pus m'empêcher de penser que j'eusse préféré à la plus belle, à la plus pacifique fusée du monde, la découverte du médicament qui t'aurait sauvé. Le romarin sentait bon. Quelques chiens aboyaient et, de la route, m'arrivaient le roulement des voitures et les rires de leurs bruyants passagers. Chaque fois que des raisons d'être heureux m'apparaissaient, je ressentais plus fort ma chute.

Il faut bien me l'avouer pour la première fois il arrive que les souvenirs m'envahissent; je les appelle, je demande leur aide pour vivre, je reviens vers moi et fouille le passé. Parfois, je t'en veux d'être mort. Tu as déserté, tu m'as laissée. A cause de toi je ne supporte plus les ciels gris, les pluies de novembre, les dernières feuilles d'or, les arbres noirs et nus où je voyais une promesse de printemps. Je fuis les aubes et les crépuscules, je m'éperonne pour regarder le soleil et le clair de lune. J'étais légère et grave, je suis lourde, je me traîne au lieu de m'élancer. Tout m'est effort.

Je ne cherche plus ton visage nulle part. Pendant longtemps tu surgissais de partout. Comment trouver un sentier, une rue, un quai que nous n'avions pas connus ensemble ? Il fallait fuir ou affronter seule chaque lieu. Dans la multitude de la foule, dans la solitude d'un chemin de forêt, je ne voyais que toi. Ma raison refusait ces mirages, mais mon cœur les cherchait. Tu étais absence et présence. A chaque heure je me demandais comment il était possible non pas que je vive mais simplement que mon cœur continuât de battre après que le tien se fut arrêté. J'entendais parfois dire que tu étais présent parmi nous. J'acquiesçais. A quoi bon discuter ? Mais je me disais qu'il est facile pour certains d'admettre la mort des autres. Cherchent-ils à se rassurer sur leur propre éternité ?

Je t'ai trop aimé pour accepter que ton corps disparaisse et proclamer que ton âme suffit et qu'elle vit. Et puis, comment faire pour les séparer, pour dire : ceci est son âme et ceci est son corps ? Ton sourire et ton regard, ta démarche et ta voix étaient-ils matière ou esprit ? L'un et l'autre, mais inséparables.

Je joue parfois à un jeu horrible : quelle partie de toi aurait pu être arrachée ou mutilée sans que tu cesses d'être cet homme particulier que j'aimais ? Quel était le signe, où était la limite ? Quand aurais-je dit : je ne te reconnais plus.

Trop se connaître tue l'amour, me disent certains, le mystère lui est indispensable comme le soleil au blé. Mais le mystère n'a nul besoin d'être cultivé, l'entretenir c'est reconnaître sa fragilité. Il faut l'attaquer, s'efforcer de le dissoudre. Plus nous irons loin dans le monde de la connaissance, plus nous nous apercevrons que le mystère demeure.

Je te regarde dormir et le monde où tu es, le sourire au coin de tes lèvres, le battement imperceptible de tes cils, ton corps nu et abandonné, sont mystères.

Je nage à tes côtés dans l'eau tiède et transparente, j'attends que tu apparaisses dans l'encadrement de la porte sous la glycine. Tu me dis « bonjour » et je sais quels ont été tes rêves, tes premières pensées à la lisière du sommeil et cependant tu es mystère.

Nous parlons : ta voix, ta pensée, les mots dont tu te sers pour l'exprimer me sont les plus familiers du monde. Chacun de nous peut terminer la phrase commencée par l'autre. Et tu es, et nous sommes mystère. Le sourire de la Joconde en contient moins que le plus quelconque de tes gestes. Il arrive, et ce sont des instants privilégiés qui font croire à la perfection du monde, que toute distance est abolie. Je me suis surprise, alors, à souhaiter mourir afin que cette perfection demeure à tout jamais.

Mais il semble que l'on ne se suicide que face à l'échec et que le bonheur nous porte à vivre. Je ne sais, mais je comprends que d'avoir touché à la perfection nous fasse souhaiter ne plus jamais retomber dans le cycle des combats. Nous avons été Dieu, nous ne voulons plus redevenir homme.

L'amour : une source, une raison de source, le monde devient fertile, c'est l'émerveillement, le sentiment du miracle et, en même temps, du déjà connu, un retour au paradis perdu, la réconciliation du corps et de l'idée, la découverte de notre force et de notre fragilité, l'attachement à la vie et pourtant l'indifférence à la mort, une certitude à jamais révélée et cependant mobile, fluide et qu'il faut reconquérir chaque jour.

Tu fus mon plus beau lien avec la vie. Tu es devenu ma connaissance de la mort. Quand elle viendra, je n'aurai pas l'impression de te rejoindre, mais celle de suivre une route familière, déjà connue de toi.

VII

JE reviens au ciel que j'aime regarder. Pas la moindre trace de bleu. Des nuages gris et sombres passent entre les toits comme une armée en déroute.

Le soleil est aujourd'hui comme le bonheur, caché, mais existant. Je cherche le ciel d'azur, l'âge d'or. Je dois apprendre de nouvelles raisons de joie. Redevenir claire, repousser la nuit, te garder en moi. Je m'essaie à cet équilibre nouveau et le trouve par instant, puis il se dérobe. Je ne sais pourquoi je m'obstine davantage. Est-ce la vieille loi du monde; s'adapter ou disparaître ?

Abandonner la partie serait lâche. Je ne fais rien d'autre qu'appeler le salut. Je me cherche ce matin en traversant les jardins du Luxembourg, comme autrefois quand je marchais dans le désert. Je pouvais alors laisser courir le souvenir. Quelque part, à des milliers de kilomètres, tu existais. Ni l'absence ni la distance ne me gênaient. Nous étions les deux voix de la même fugue et rien ne pouvait empêcher cela. Il y avait toi, moi et ce « nous » qui n'était pas exactement toi plus moi et qui était en train de naître, qui nous dépasserait et nous contiendrait.

Le désert, plus qu'aucun autre paysage donne la liberté à l'imagination. Un arbre au bord de la piste, un couple d'oiseaux dans le ciel témoignent plus de la vie que la plus verte vallée. Je te parlais, ou nous chevauchions côte à côte sans prononcer une parole. Quand mon rêve s'évanouissait et que je me retrouvais privée de ta présence, je n'en éprouvais aucune tristesse. Tu existais, nous nous étions rencontrés, qu'importait le reste. Nous n'étions pas encore accordés, tout restait à construire.

Je faisais mon destin et j'étais faite par lui. Je me sentais forte, j'allais bien au-delà du sentiment. J'avais la prétention d'être claire et intelligente, et prête à tout événement. Je me croyais hors du cycle « malheur-bonheur ». J'ignorais que c'était le bonheur même qui me donnait cette assurance. Je le respirais aussi naturellement que l'air.

VIII

UN *infirmier est venu le chercher. Il l'a glissé du lit sur le chariot. Nous nous sommes regardés. On n'a pas voulu que je l'accompagne. Je suis restée sur le pas de la porte. L'infirmier me cachait son corps. J'entendais ses pas et le roulement du chariot, mais il me semblait que jamais il n'atteindrait le bout de ce couloir long et brillant.*

Je venais, en quelque sorte, de te quitter pour toujours. Cette vision de toi enveloppé dans une couverture était mon dernier moment de bonheur. Moins d'une heure plus tard, je te retrouvai dormant, les cheveux défaits, le visage pâle. Qu'est-ce que le temps ? Est-ce cette horloge qui marquait une heure de plus, ou cette brisure irréversible ? La terre avait basculé. Des millions d'années séparaient ces deux images de toi. Tu dormais et cependant je n'osais te regarder, je te jetais de petits coups d'œil à la dérobée. Je restais immobile, des infirmières et des médecins allaient et venaient, ils accomplissaient leur travail et je souhaitais ta mort. Qu'elle vienne vite, comme la foudre ou comme un voleur. C'était donc cela l'amour ? Etre prête à tout pour que tu vives et une heure plus tard souhaiter ta mort. Je venais de supplier qu'on ne te réveille pas. Où étaient le bien et le mal ?

La nuit s'écoulait goutte à goutte. Couchée sur le lit, je fixais le plafond. J'y projetais mon obsession.

Il va mourir, il va mourir.

Je luttais jusqu'au point d'avoir mal partout, je repoussais l'ennemi, il m'écrasait, m'étouffait, me roulait. Je l'acceptais, je m'enfonçais l'idée dans la tête et dans la chair et avec elle je plongeais au centre de la terre. Oui, il va mourir. Il va pourrir. Voilà ce qu'il faut savoir, ce qu'il faut connaître. Peut-être que de tourner la tête m'aiderait. Le mur était blanc, rien n'y était encore écrit. Il était une page blanche. Je voulais une page blanche comme hier. Revenir vingt-quatre heures en arrière. Je refaisais tout le chemin. Tu vas être opéré. Nous sommes seuls dans la chambre. Dehors, le jardinier va et vient en silence. Nos pieds se touchent sur ton lit. Ta main droite garde ma main gauche. Nous ne nous quittons que pour tourner les pages de nos livres. Quel calme ! Parfois tu t'assoupis un peu et tu tournes la tête vers moi. Il est trois heures, il nous reste deux heures.

« Je ne veux pas que tu sois là quand je redescendrai, on est laid quand on vient d'être opéré et qu'on dort encore. Tu me le promets, tu ne seras pas là ?

— Non, je resterai à côté mais tu ne seras pas laid. Je te regarde quand tu dors.

— Ce n'est pas la même chose.

— Bon, je te le promets. »

L'infirmier est venu et t'a emmené. J'ai mis de l'ordre dans la chambre. J'ai ouvert grand la fenêtre. Le ciel était bas et pesant comme de l'ardoise. Je suis allée dans la salle d'attente. On m'a appelée. Je suis montée dans l'ascenseur avec une infirmière. Elle a ouvert la porte et m'a fait entrer dans une très petite pièce où je n'ai vu que des chaises. J'ai entendu des pas, les quatre médecins sont entrés. L'un m'a avancé un siège. Il y a eu un silence. Je les ai regardés. Lequel a parlé ? Lequel est demeuré les yeux fixés sur moi ? C'est précisément avant qu'il faut conjurer le sort, arrêter le temps. Il n'y a plus de murs blancs. Dans chaque recoin, sur la peinture écaillée, sur la lampe, sur les rais de lumière qui filtrent par le haut de la porte, partout c'est écrit : IL VA MOURIR.

Tu étais à côté de moi, dans un monde inaccessible. Tu dormais, tu étais devenu un condamné et j'étais complice du bourreau. On m'a raconté que dans les abattoirs, un animal qui garde la vie sauve est ainsi chargé de conduire ceux de sa race jusqu'au lieu du supplice. Que pouvais-je faire d'autre ?

J'avais jusqu'au matin pour me laisser aller et me livrer aux combats intérieurs, aux hésitations. Le jour allait se lever. Il fallait que je me présente à toi avec un visage lisse. J'avais toujours su que les grandes décisions se prennent en quelques secondes. J'allais obéir à une seule loi : ton bonheur ou son arrêt net et brusque. Je me battrais toutes griffes dehors pour qu'aucune souffrance, aucune peur ne parviennent jusqu'à toi. Là s'arrêterait mon pouvoir. Je voulais que tu continues à éprouver la joie que nous avions connue. Après, je me poserais des questions. Je n'étais pas écartelée entre l'instinct et la raison. Le malheur était entré dans ma vie. Toutes les sensations, les sentiments étaient filtrés à travers lui. Il me dénaturait. Un jour, peut-être, je pourrais croire comme auparavant que le bonheur et le malheur font au même titre partie de la vie et qu'il faut être prêt à recevoir l'un comme l'autre. Etait-ce cela la sagesse ?

Il a dormi toute la nuit et toute la matinée. Pendant de courts instants il lui arrivait de reprendre conscience. Il me regardait mais je ne sais s'il me voyait vraiment et repartait.

Ton premier regard. Il émergeait d'un autre monde qu'il voulait fuir et s'agrippait au mien. Ma trahison commença : « Tout va bien. »

Tu as souri, serré les paupières et touché ma main. Dès ce moment, à l'encontre de ce que j'avais imaginé, je n'ai été bien qu'auprès de toi. La zone d'ombre se resserrait sur nous, mais que tu sois là, apparemment intact, ignorant, me donnait un sentiment de sécurité. Tu m'aidais sans le savoir; ton bonheur me forçait à feindre. Je n'avais pas un instant pour me mettre en boule, fermer les yeux sur le monde. Je me dédoublais à chaque instant. On m'avait dit qu'une trop grande douleur rend insensible. Ce n'est pas vrai, jamais je n'avais été aussi perméable à tout ce que je rencontrais. Ce soir-là, je suis allée chez nous. Des éclats de rire enfantins m'ont accueillie.

L'innocence allait être frappée. Et là non plus, je ne pouvais rien. La table ronde avec ta place vide. Notre lit. Etait-ce là que tu mourrais ? Qu'importait l'endroit ? Ce qui était monstrueux c'est que tu doives mourir. J'allais être seule, je n'y avais pas encore pensé. La solitude : ne pas voir, ne pas être vue. Je suis repartie pour la clinique. Tu m'attendais. Tu existais encore et demain sans doute, tu serais là, et notre premier regard serait l'un pour l'autre. Un horrible mot me venait aux lèvres : profiter. Je l'entendais résonner pour la première fois. « Profiter » des derniers jours de soleil, « profiter » des soldes. Qu'il était laid ce mot, avide et avare.

J'ai attendu que tu t'endormes et puis, pour la première fois, j'ai perdu conscience, assommée comme une bête.

Le lendemain, je me suis réveillée très tôt. J'ai écouté ton souffle. Un jour je ne l'entendrais plus. Je ne voulais pas sombrer dans le marais. « Il va mourir, il va mourir, me répétais-je, demain ou dans quinze jours, il faut bien le savoir, il n'y a d'issue que fatale. » Ne pas me leurrer. Savoir. Puis oublier que je sais et accomplir les gestes habituels. Ne pas m'arrêter, me lever, prendre une douche, me laver les dents, penser aux enfants qui partent pour l'école.

Quand tu t'es réveillé, tout est devenu plus facile : nous étions deux. Je ne voulais pas penser pour combien de temps. Les secondes me paraissaient des heures; les journées quelques instants. Notre vie entière, qu'était-elle dans le cours du monde ? A peine le temps d'un soupir. Et c'était la somme de toutes ces existences mises bout à bout depuis l'ancêtre des cavernes qui avait fait l'histoire de l'humanité. Tu allais mourir, je mourrais un peu plus tard. Nous aurions été un chaînon.

IX

UN matin, quatre jours après l'opération, un infirmier entra et te proposa de marcher. Tu te levas en deux temps, je te mis tes pantoufles. Ton corps n'en finissait pas, tu flottais dans ton pyjama. L'infirmier te soutenait d'un côté, moi de l'autre. Savait-il quelque chose ? Savait-il que je savais ? Je ne voulais de connivence avec personne. Nous allâmes d'abord vers la fenêtre pour regarder le jardin.

Tu as dit : « Ce sera beau, notre premier retour à la campagne. » Je t'ai suggéré de te recoucher car je devinais ce que tu allais faire et cela n'a pas manqué. Tu as marché vers le cabinet de toilette et tu t'es regardé dans le miroir. Qu'aurais-je donné pour que la lumière fût trompeuse ! Tu te dévisageas en te passant la main dans les cheveux de ton geste habituel, la tête un peu penchée en avant, l'œil attentif. J'allai au-devant :

« On ne peut pas dire que tu aies bonne mine.

— Non, on ne peut pas.

— C'est parce que tu es debout. Mais je te donnerai ma glace, tu verras, quand tu es au lit tu es rose. »

C'était vrai. Dès que tu étais étendu, le sang refluait vers ton visage, tu semblais reposé et seuls tes yeux trop pâles m'inquiétaient.

Tu te remis au lit.

Je te regardais comme quinze ans plus tôt quand nous commencions à nous aimer et à nous découvrir. Mon regard était vierge, il me semblait te voir pour la première fois. Nos gestes les plus simples et les plus coutumiers aussi bien que les plus intimes et les plus beaux remontaient à ma mémoire avec le premier goût du plus jamais. Je savais tous ceux qui déjà appartenaient au passé. Plus jamais tu ne poserais de bûche dans le feu de bois, ou tu ne prendrais les enfants sur tes épaules. Mais je pouvais encore te regarder tourner les pages d'un livre, me prendre la main, écrire une lettre. Presque tous tes gestes cependant étaient déjà touchés par la maladie, modifiés par elle; tu marchais à pas lents, un peu courbé en avant, tu te rasais en t'interrompant une ou deux fois, tu t'asseyais dans le lit avec précaution en prenant appui sur les bras.

Oh ! mon amour. Etait-ce à cause de la mort toute proche que chacun de tes mouvements, à ton insu, prenait une telle dimension ? Non, c'était moi, sans doute, qui savais et qui, à cause de cela, les observais avec d'autres yeux. Dans la soirée, je t'ai regardé dormir; ton visage demeurait immobile, mais je voyais battre le sang sur ton cou. Aurais-tu ce visage-là après ? Aujourd'hui tu étais vivant. C'était une journée de gagnée. Comment viendrait-elle, la mort ? Quel serait le signe ? Je le guettais, mais j'entrais dans un univers que j'ignorais. Saurais-je lire ? Tu étais mon sphinx, mais tu ne savais pas la question que tu me posais. Je t'interrogeais sans que tu le saches. Je te voyais manger avec stupeur, je n'arrivais pas à discerner si tu le faisais bravement, je veux dire par volonté, pour guérir plus vite, par peur de la faiblesse que peut-être tu éprouvais, ou si ta jeunesse, même au seuil de la mort, faisait de toi un jeune loup affamé.

Je ne savais pas si tu quitterais vivant la clinique. Je regardais souvent les murs blancs que j'avais pris en horreur et je me demandais si c'était ici que ta mort nous surprendrait. Non, tu allais bien et un matin on nous annonça que nous pouvions rentrer.

Je fis notre valise. Il faisait beau et nous restâmes quelques minutes devant la fenêtre. Je suis une femme sans larmes. La chambre était redevenue aussi anonyme que le jour de notre arrivée, seule une rose effeuillée achevait de mourir dans le verre à dents. Le prochain malade pouvait entrer. C'était donc cela la chambre du destin. J'aurais voulu que tu dormes mais tu étais plein de projets et tu me demandas de raconter encore comment serait la maison que nous habiterions bientôt dans les montagnes.

Elle serait face au soleil levant, à la lisière de la forêt. Tu ne ferais pas de ski, mais nous louerions un traîneau et nous nous envelopperions dans des couvertures de fourrure qui sentent un peu le cheval. Nous nous promènerions sous les arbres chargés de neige et nous apprivoiserions des écureuils bleus. Nous prendrions nos repas sur le balcon de bois et le soir nous regarderions s'allumer en même temps le ciel et le village. Tu mangerais six fois par jour et tu prendrais des bains de soleil.

Tu t'assis sur le lit et je t'aidai à t'habiller. Tu portais le même costume que le jour de notre arrivée. Le pantalon te tombait sur les hanches et je passais trois doigts entre ta chemise et ton cou.

Je te regardai marcher dans le couloir. Tu franchis la porte et t'arrêtas un moment sur le perron. Tu respiras longuement et clignas des yeux devant la lumière crue du soleil. Je pensai au taureau qui entre dans l'arène. Nous étions quatre dans la voiture. Tu t'assis devant, moi derrière. Je te voyais en profil perdu. Que Paris était beau, insolent et tendre. J'essayais de voir avec tes yeux et ta joie lasse, mais je ne voyais que ta nuque envahie de cheveux et fragile comme un jeune bouleau. Elle était ainsi quand tu avais vingt ans. Lorsque tu étais mécontent de toi, tu partais seul en avant et tu fouettais l'herbe haute avec une branche ramassée au bord du sentier. Au bout d'un moment tu revenais vers moi, tu m'entourais les épaules avec tes bras, et nous éclations de rire. Mais il ne fallait pas que l'éclat vienne une minute trop tôt, tu te serais refermé comme un coquillage. Tout cela était loin. Nous étions à l'autre bout du chemin.

Tu allongeas le bras sur le dossier et remuas la main pour que je la caresse. Que tu étais maigre et pâle. Paris. Paris ! Où allaient les gens ? Pourquoi étaient-ils si pressés ? Je regardais le ballet cruel des piétons et des voitures aux signaux verts et rouges, aller en mesure, ne pas perdre une seconde. Pas de fantaisie. Etre discipliné, tout était là. Ce piéton mourrait peut-être ce soir ou peut-être était-il atteint d'un mal qu'il ignorait. Qu'importait ! La mort est toujours à notre porte. Il s'agit de ne pas le savoir. Ignorer. Regarder couler la Seine et le soleil jouer sur les ponts, rester là, contempler, ne se préoccuper ni du bonheur, ni du malheur, ni du passé, ni de l'avenir. Vivre l'instant.

C'était notre dernier voyage, ton ultime

visite aux lieux que nous aimions. Plus jamais nous ne marcherions ensemble dans Paris, plus jamais nous n'éprouverions le sentiment d'être chez nous, une fois franchis le carrefour du Bac ou la place Saint-Michel par où nous passâmes ce jour-là. Les centaines de matins ensoleillés où nous faisions le trajet en sens inverse me remontèrent en mémoire. Nous débouchions de la rue Bonaparte et recevions chaque fois avec le même émerveillement et la même fierté la beauté des bords de la Seine. Comment appeler cette couleur du ciel, ni bleu ni blanc ni gris ni doré et de tout un peu à la fois, mais avec en plus cette vibration douce de la lumière, ce scintillement satiné qui donne à ce paysage de pierre, aux courbes des arches et du fleuve, une grâce comme méritée, inséparable de l'esprit et de l'intelligence.

Nous suivions les quais jusqu'au Trocadéro et parfois, quand nous n'étions pas en retard, nous nous arrêtions pour regarder cette splendeur, comme cela, à la sauvette, parce que la vie est ainsi faite, qu'à Paris on se déplace toujours pour aller d'un endroit à un autre et non pour aller nulle part, le nez au vent, les mains dans les poches. Chaque année, nous nous promettions de garder du temps que l'on appelle si injustement perdu mais dès que nous étions là, la vie nous happait, nous étions pris dans l'engrenage, et une longue promenade à pied devenait un événement presque plus rare qu'un grand voyage. Ce rythme inhumain de Paris nous séparait quelquefois pour plusieurs jours. Nous n'arrivions pas à nous voir, à nous parler. Sortir, rentrer, téléphoner, dormir. Pendant un temps, la communication était rompue, nous nous mettions en veilleuse, mais nous savions que le prochain dimanche nous réunirait et que nous nous dirions alors tout ce que cette semaine interminable nous avait apporté, les réflexions sur soi-même, les choses entendues, ce que nous avions observé l'un de l'autre, sans en avoir l'air, tant nous paraissions chacun absorbés par notre vie quotidienne. J'aimais que tu aies remarqué mon chandail neuf dont tu n'avais pas soufflé mot le matin où je l'avais mis pour la première fois, comme tu aimais que je te dise combien la cravate japonaise allait mieux avec ta chemise blanche qu'avec la grise. Tout ce que nous avions accumulé pendant sept jours s'exprimait et nous nous moquions de la chanson de Juliette Gréco : *Je hais les dimanches.*

Nous nous retrouvions après la course. Nous nous nourrissions l'un de l'autre. Il n'y aurait plus de rendez-vous, le seul qui m'était promis c'est celui que tu avais avec la mort, je le guettais sur ton visage, qu'il se tire un peu ou se crispe, je me disais : La voilà; que tu sois bien et incroyablement heureux et je pensais que c'était peut-être ce mieux avant la mort dont j'avais entendu parler. Puisque je ne pouvais rien, il fallait arrêter de penser. Etre avec toi, c'est tout, jusqu'à ton dernier souffle. Et tu étais là, dans la voiture, nous nous touchions. Dans un mois je donnerais peut-être tout au monde pour ce moment présent qui me semblait l'enfer.

Tu voulus gravir seul l'escalier. Je te suivis, c'était la dernière fois sans doute que tu montais chez nous. Tu avais toujours franchi ces marches quatre à quatre, sans bruit, comme une panthère, et le soir c'est le silence qui suivait le claquement de la porte d'entrée de l'immeuble qui m'indiquait ton retour. Une seconde après, la clef jouait dans la serrure de notre porte.

Ce jour-là, derrière toi, j'étais prête à ta chute. Je faisais le souhait qu'aucun locataire ne passe pendant ce temps infini que tu mis à monter les marches. Que personne ne voie ton visage amaigri et terreux, couvert de sueur, et que me découvrait puis me cachait la spirale de la rampe à laquelle tu t'agrippais. Je voyais ta narine gauche se serrer et se contracter les muscles de ta mâchoire. Nous montions la Tour de Babel. Jamais l'escalier ne m'avait paru si long, le bout du monde et, une fois gravi, il y aurait un autre bout du monde à atteindre et ainsi jusqu'à la fin, et puis, je marcherais seule.

Tu t'assis sur la première chaise. Tu gardais la tête penchée, les yeux fixés sur tes genoux, où reposaient tes mains. Nous vîmes ensemble ton alliance trop grande, tu la repoussas en la frottant contre ton pantalon.

Notre chambre n'était qu'une fleur mais déjà pour moi les fleurs étaient empoisonnées. Je savais que bientôt elles entreraient ici par brassées, par couronnes et par gerbes.

Tu serais un jeune mort couvert de fleurs.

Tu étais donc revenu chez nous, où je venais chaque soir perdre et reprendre courage et mettre la robe ou le tailleur qui te ferait plaisir.

Le jour s'éteignait. Je fermai les rideaux. Je m'étendis près de toi et je fis semblant de dormir pendant que tu lisais. Je vivais en tête-à-tête avec le monstre. Comment est un cancer ? Une masse dure. Je faisais un effort pour me souvenir des films scientifiques que je connaissais. Je voyais cette vie intense des cellules, leur prolifération inexorable.

Elles gagnent toutes les batailles. Et tout cela s'accomplissait presque sous mes yeux, à l'abri de ta peau lisse et innocente. Dans le silence du soir, il me semblait entendre cette activité de termite, l'usine ignoble qui travaille vingt-quatre heures sur vingt-quatre, et d'autant mieux et plus vite que le terrain est beau et jeune. Sans que tu le saches, sans que je puisse rien, tandis que je te regardais, ta mort se tissait sans bruit.

X

JE me souviens comment nous guettions les premiers mouvements de nos enfants. Je portais les promesses de vie comme aujourd'hui tu portes celles de la mort.

Cette aube d'hiver où je sommeillais entre toi et notre enfant. Ce bonheur du corps et de l'esprit ! J'étais une bulle en équilibre dans le monde, apparemment immobile, non par inaction, mais parce que le jeu des forces dont il me semblait être en cet instant le centre, s'exerçait parfaitement. Je filais dans un azur sans tache. Tout était harmonie. Le malheur et la mort étaient choses lointaines, assourdies, qui arriveraient un jour, mais n'auraient pas d'importance et qui jamais, dans tous les cas ne pourraient abîmer ou ternir la perfection de ce jour.

Depuis quelques instants une respiration de plus habitait la terre. J'entrouvrais les yeux pour être bien sûre de ne pas rêver. Dans cette chair et ces courbes qui déjà me charmaient, tout était décidé. Nous pourrions tout au plus aider ou contrarier le développement de ce nouvel être humain et faire qu'il se retrouve plus vite en face de lui-même. Mais les détours, les révoltes ne sont-ils pas aussi nécessaires. N'y a-t-il pas des êtres auxquels tout obstacle est utile, et d'autres qui sont vaincus avant la lutte ? Et cela aussi n'est-il pas déterminé ? Je sais aujourd'hui que je ne puis déjà rien contre un certain regard enfantin empreint de nostalgie et un autre qui n'est que confiance et ne comprend pas la tromperie.

Au plus loin que je remonte dans mon enfance, je trouve ce goût pour le bonheur, cette notion qu'il m'appartenait de le vivre, que j'en étais en quelque sorte responsable. Je me souviens de longues périodes sombres et froides, ou, enfant, recroquevillée sur moi-même, les dents serrées, j'éprouvais la tristesse avec honte; je voulais en guérir comme d'une maladie, tandis que la joie ressentie me paraissait juste et belle. Plus tard, je compris qu'une grande partie de nous est déterminée par le sens que nous donnons à cette notion du bonheur qui n'est pas seulement le confort de l'esprit et du corps.

Et aujourd'hui encore, je voudrais l'éprouver. Il m'apparaît comme une fidélité à moi-même et donc à toi, j'appelle le miracle : un jour, me réveiller heureuse, sans poids. Je sais que la terre a tremblé, la faille existe, elle fait partie de ma nouvelle géographie, je la connais, mais je voudrais qu'elle arrête de saigner.

Il m'est encore difficile de vivre le présent, j'y adhère rarement sans faire d'effort. Quand nous parlions de la mort, nous pensions que le pire était de survivre à l'autre; je ne sais plus, je cherche et la réponse varie suivant les jours. Quand je suis prise à la gorge par une bouffée de printemps, quand je regarde vivre nos enfants, chaque fois que je touche la beauté de la vie et que pendant un instant j'en jouis sans penser à toi — car ton absence ne dure pas davantage — je pense que de nous deux tu es le sacrifié. Mais quand je suis engluée dans la peine, diminuée par elle, humiliée, je me dis que nous avions raison et que mourir n'est rien. Je me contredis sans cesse. Je veux et ne veux plus souffrir de ton absence. Quand la douleur est par trop inhumaine et apparaît sans fin possible, je veux être apaisée, mais chaque fois que tu me laisses un peu de repos, je refuse de perdre notre contact, de laisser nos derniers jours et nos derniers regards s'estomper au profit d'une certaine sérénité et d'un amour de la vie qui me reprend, presque à mon insu. Et ainsi, sans me reposer jamais, sans m'arrêter, j'oscille d'un point à l'autre avant de retrouver un équilibre sans cesse menacé.

Il en sera longtemps ainsi. Je l'accepte. Mais parfois une immense fatigue me prend, une terrible tentation m'envahit, celle de me reposer, de mettre bas les armes. J'aime la terre à ces moments-là et l'idée de me coucher en elle, moitié marmotte, moitié statue, ne me fait pas peur. Je ne vois pas la pourriture qui m'obsède parfois, j'imagine une désagrégation naturelle qui n'a rien d'effrayant.

Le lendemain de ton retour de la clinique, tu te réveillas tard. Tu me dis : « Que je suis fatigué ! » Je te répondis qu'il ne pouvait en être autrement, que l'effort de monter les étages avait été trop dur, qu'il fallait te reposer, dormir. Nous restâmes immobiles sur le lit, presque silencieux. Nous voguions chacun dans nos pensées. Je les imaginais s'élevant dans l'air de la chambre, telles des volutes de fumée, voyageant au-dessus de nos têtes, se frôlant, se touchant sans se mêler et sans se connaître.

Nous écoutions un andante que tu aimais. Seule la musique peut agir de cette façon, apaiser ou crisper, angoisser ou calmer. Elle me permit, ce jour-là, de reprendre ma respiration. Elle rendait aux battements de mon cœur la régularité que ta petite phrase : « Que je suis fatigué », avait chassée.

Ne pas m'affoler, ce n'était pas encore l'épuisement dont avait parlé le médecin, c'était réellement la fatigue de ces escaliers; tout à l'heure ton visage redeviendrait rose, tu demanderais à manger, tu t'assiérais peut-être sur le lit et ce serait encore un jour de gagné sur l'éternité. Il ne fallait pas projeter ma pensée très loin, il fallait tendre vers l'après-midi, ne pas s'éloigner davantage, ne pas exiger plus ou au contraire voir le monde de très haut, comme cette musique que j'entendais et qui disait que rien ne s'arrête jamais, que tout se transforme, et que la tendresse ou l'amour doivent aller au-delà de la vie. Mais dès que je touchais du doigt une sérénité possible, je me révoltais. C'était trop facile. J'étais là, moi; bien portante, forte, je verrais le prochain été, je verrais grandir nos enfants. Comment serais-je face à la mort ? En vérité, la seule fois de ma vie où j'avais été en danger, je n'avais pas trouvé cela abominable, mais ce n'avait été qu'une possibilité et donc j'avais joué le jeu, lancé une sorte de pari, avec des moments d'angoisse il est vrai, mais rien de plus, rien d'intolérable. Etait-il plus facile d'assumer pour soi-même que pour ceux qu'on aime ? Je ne sais. Rien n'était comparable, aujourd'hui. Si j'avais su qu'il existât une seule chance de te sauver, nous en aurions parlé ensemble, nous aurions tenté l'impossible et peut-être aurions-nous gagné ? « Pas le moindre espoir », avaient dit les médecins et j'avais su qu'ils disaient vrai. Il suffisait d'ouvrir un manuel d'étudiant en médecine pour s'en convaincre. Et s'ils m'avaient caché la vérité, si j'avais été innocente comme toi ? Non, ils ont bien fait. Entre l'ignorance et la connaissance, je choisirai toujours cette dernière. Donc, je n'étais pas d'accord avec moi-même. Je demandais qu'on agisse d'une certaine façon vis-à-vis de moi et j'agissais différemment vis-à-vis de toi. Je détruisais notre égalité, je devenais la protectrice. C'était vrai, je te voulais heureux et cela était plus fort que tout et quand tu me disais : « Je suis heureux », toutes les omissions, tous les mensonges devenaient doux comme le miel, j'aurais fait mentir le monde entier pour le sourire que tu me donnais alors, ce sourire éphémère que j'aurais voulu capter dans mes mains, garder contre moi et qui me poursuit toujours.

Je savais aussi qu'entre ta belle et brève destinée et une vie longue et médiocre, tu n'aurais pas hésité. Mais pourquoi ce choix ? Existe-t-il deux sortes d'hommes et appartenais-tu à celle qui traverse la vie comme une étoile filante dans un ciel d'été ?

XI

LE VOL d'Icare de Breughel, plein de soleil, est l'expression même de la solitude, non pas de l'égoïsme, mais de l'indifférence qui isole les hommes les uns des autres. Il a sans doute raison, ce laboureur, de tracer son sillon pendant qu'Icare se tue. Il faut que la vie continue, que le grain soit semé ou récolté pendant que d'autres meurent. Mais on souhaiterait qu'il lâche sa charrue et aille au secours de son prochain. Je me trompe peut-être et sans doute ignore-t-il qu'un homme se tue. Il est aussi inconscient que la mer et le ciel, que les collines et les rochers. Icare meurt, non pas abandonné mais ignoré. Chacun de nous est comme ce laboureur. Chaque fois que l'on sort, on passe à côté d'un désespoir, d'une souffrance ignorée. On ne voit pas les regards implorants, ni les misères de l'âme ou du corps. Je suis loin de mon prochain. Si j'en étais vraiment proche, j'abandonnerais toujours, sans même y réfléchir ce que je suis occupée à faire, pour aller vers lui.

Nous avions été Icare. Dehors, le monde continuait. Je levais les rideaux et je reconnaissais la vie habituelle de notre rue et de notre cour, mais je ne les recevais plus de la même façon. Tout avait changé et pris une signification nouvelle, les voix me frappaient comme si je ne les avais jamais entendues, les rires m'arrivaient d'un autre monde et chaque matin le long grincement des poubelles traînées sur le trottoir résonnait comme le signal d'une exécution. Le condamné à mort, avant chaque aube, écoute si l'on dresse sa guillotine. Mais tu dormais profondément au petit matin tandis qu'éveillée, je vivais l'heure de ma plus grande faiblesse. Désespoir de ce qui était, désespoir de ce qui serait. Je ne pouvais ni perdre conscience ni me résoudre à quitter notre lit. Le seul point lumineux était tes cheveux que je distinguais sur l'oreiller blanc et ton corps que je savais être là. Je sentais ta chaleur. Je l'ai sentie le matin de ta mort. Tu reposais calmement pendant que la maladie préparait sa dernière attaque. Quand j'ai refermé la porte de notre chambre, je ne savais pas que je venais de te voir pour la dernière fois. Avant midi, on parlerait de toi à l'imparfait. Il aimait, il voulait, il travaillait, il craignait. Imparfait : verbe de la mort. Je ne sais qui, des médecins, des amis accourus ou de moi, l'a employé le premier. Peut-être est-ce moi qui ai dit : « Je savais. » Chaque fois que j'entends mes enfants réciter le verbe être à tous les temps de l'indicatif, je pense à cette démarcation définitive que l'imparfait a, pour moi, un certain matin, signifié. Il ETAIT, sous-entendu, il ne sera plus jamais. Fini. Terminé. Tapez-vous la tête contre les murs, hurlez, restez pétrifié, agissez comme si de rien n'était, mordez, priez, révoltez-vous, acceptez, vous ne changerez rien : il était, donc il n'est plus. Le monde entier et vous-même avez le droit, l'obligation de parler de lui à l'imparfait. Vous venez de commencer à user de la conjugaison qui, désormais, sera la sienne.

Il n'était plus nécessaire de parler bas pour ne pas te réveiller. Tu commençais ton absence au monde. J'étais seule. Peut-être ne savais-je pas encore combien il serait insensé non pas d'être seule, mais de ne plus être avec toi. Depuis que je t'avais vu endormi sur le chariot de la clinique, une pensée plus forte que les autres avait motivé mes actes : qu'il ne souffre pas, qu'il ne sache pas. Mon rôle était fini, j'avais accompli cette mission sans gloire. Toi, dont la lucidité était une des plus belles qualités, tu avais été au-devant de la mort comme un enfant.

Tu étais beau. Tu donnais ton dernier éclat; demain, déjà, tu ne serais plus le même. Oui, je savais que tu n'étais plus présent dans ce corps et une force me poussait vers lui. Je pouvais encore te regarder, te prendre la main ou passer la mienne sur ton visage. Demain il n'y aurait même plus cela. Demain, tu serais dans un cercueil. Caché à jamais. Je pensais : seul avec soi-même. Et dans deux jours je roulerais derrière toi et dans trois jours la séparation serait complète. Moins de vingt jours s'étaient écoulés entre notre bonheur et sa fin.

Je me répétais : il est mort, il est mort,

tu es mort. Il fallait qu'immédiatement, je prononce ces mots-là, que je m'en imprègne à jamais, sinon j'allais fuir, tourner le dos, essayer de nier et ce refus ne mènerait qu'à des impasses. Une armée d'aiguilles attaquaient ma peau du dedans, je n'étais qu'un cri.

Je souhaitais que mon corps ne me fasse pas défaut, mais qu'il me vienne en aide. Je m'accrochais aux parois de ma vie. Je me forçais à regarder le vide. La mort avait ton visage, je l'ai donc dévisagée, presque contemplée. L'adieu à un mort est chose inimaginable si on ne l'a pas vécu, rien ne peut en rendre compte. L'esprit s'arrête quand il atteint aux limites de l'horreur; or, c'est là que tout commence.

Aujourd'hui encore, je ne peux dénouer nos deux vies. Ce n'est pas l'image du lierre et de l'arbre qui me vient à l'esprit quand j'essaie de rendre sensible ton absence, c'est comme une faute primordiale, un mal cosmique qui entraînerait un déséquilibre dans les forces d'attraction du monde. Je tente en vain de retrouver un lieu où je me sens à ma place.

Il m'arrive d'être habituée à ton absence.

Je ne me réveille plus avec cette vrille dans le corps, ni cette sirène aiguë dans la tête qui s'enfonçait au plus profond de mon sommeil et qui chaque matin m'annonçaient et me répétaient la nouvelle de ta mort. J'ai recommencé à penser au temps qu'il fait, au livre que j'ai lu, aux choses qu'il faudra accomplir dans le courant de la journée. Pendant des mois, j'imaginais que dès que je serais capable de reparler avec passion d'un autre sujet que de toi, de fixer ma pensée sur une autre vision que la tienne, je serais presque sauvée.

Peut-être le suis-je aujourd'hui ? Je n'en sais rien. Le passé m'absorbe, je lui rends compte du présent. Le travail de la vie continue cependant à se faire en moi. Je le sais, je le veux, mais ce que je perçois le plus clairement c'est la grisaille des jours et l'effort pour adhérer au monde alors que souvent le cœur choisit de se mettre en retrait. Je suis toujours à la merci du vertige. Quand je sors le soir, je laisse la lampe allumée. A l'heure du retour, je vois sa lueur derrière les rideaux et je souris de mes ruses inefficaces, car dès que je pousse la porte, je reçois la solitude en plein visage. J'ouvre et je ferme les placards, je remue les flacons, je tourne les robinets mais je n'entends que le silence de ton absence. Je l'écoute, il ne me fait pas peur, il me fascine. Je n'ai nulle envie de l'interrompre. Le sommeil viendra, il y a des centaines de nuits qu'il est venu, tandis que j'écoutais ton absence.

Certains jours ta réalité m'échappe. Ce bonheur et cette beauté ont-ils existé ? Ont-ils été notre nourriture quotidienne ? Ma pensée alors refuse de se fixer, elle survole le passé, elle évite les aspérités, elle devient désincarnée. Je ne possède plus qu'un rêve et des cendres, ce qui fut se dérobe et je découvre comment prend naissance cette fameuse idéalisation, ce souvenir complaisant qui peu à peu schématise et tient lieu de vérité, cette trahison d'autant plus aisée que la présence n'est plus là pour contredire l'image suave qui se forme dans l'esprit. Je touche à la fausse sérénité mais je m'éloigne de la vraie sagesse qui est ardeur, intelligence et lucidité. Je t'appelle et je me jette dans le passé pour ne pas te perdre. Seule dans notre chambre, je reste de longs moments à fixer les lieux où tu préférais te tenir et les objets que tu aimais toucher, je cherche ton empreinte, je te tire de l'ombre et peu à peu tu reviens. Je pars d'un souvenir précis, cette tache claire sur le mur... Un matin, c'était trois jours avant ta mort, le soleil est apparu, il avait plu depuis plusieurs jours. J'ai ouvert les rideaux et tu m'as dit : « J'aime sentir le soleil sur mon visage. » J'ai poussé un peu le lit pour que le soleil te touche. Tu as fermé les yeux pendant un moment et quand tu les as rouverts, tu as murmuré : « Que c'est bon ! »

Le temps s'est mis à couler très lentement. Je t'ai apporté du linge propre et tu as choisi un pyjama bleu, celui avec lequel tu allais mourir. Le soleil jouait sur le mur, il t'a quitté. C'était pour toujours. Le lendemain il a plu à nouveau, le surlendemain aussi et le matin suivant tu es mort. Je n'oublierai jamais la couleur de ce soleil de novembre, ni comment il a caressé ton visage et tes cheveux, puis s'est retiré sur le mur comme un déserteur. Je m'en prenais même au soleil. Tout foutait le camp.

Il faisait beau à l'Escalet pendant notre

dernier été. Quels projets formions-nous alors ? A quoi pouvions-nous penser ?

Nous menions une vie végétale. Nous obéissions au vent et au soleil. C'est eux qui décidaient de nos journées. Les gestes quotidiens devenaient des rites, rien ne se passait, nous étions simplement heureux et heureux de l'être. Le bonheur nous pénétrait comme une odeur, nous l'oubliions parfois tant nous étions privilégiés. Est-ce que l'oiseau sait qu'il est heureux de voler ?

Nous restions pendant des heures les yeux fermés ou mi-clos, fixés sur le mouvement à peine perceptible de la mer, un battement de cœur, rien de plus. Quand nous n'en pouvions plus de chaleur, nous nous laissions couler dans l'eau, de biais, sans bruit, pour ne pas troubler cette ordonnance parfaite du ciel et de la mer.

Nous pouvions ne parler de rien comme nous aurions pu parler de tout. Le silence et le bavardage sont délicieux quand nous les pratiquons comme le luxe suprême de l'amour ou de l'amitié et qu'ils ne camouflent pas un malaise ou une divergence irrémédiable, mais résultent d'un accord si profond que deux êtres physiquement dissemblables atteignent une ressemblance plus frappante que celle des traits.

Parfois, tu avais mauvaise mine, je le notais avec une petite angoisse sourde, puis ça passait. Au plus fort de la chaleur, tu partais défricher le vallon planté de pins parasols tandis que je montais faire la sieste dans la grande chambre dont je fermais les volets. Les enfants dormaient. Un beau silence habitait la maison. J'oubliais les cigales. J'entendais, inséparables de la chaleur et des parfums, tes coups de pioche et puis tes pas sur les broussailles sèches. Pendant des heures tu amoncelais les cistes que nous ferions brûler après les premières pluies, puis, tu revenais couvert de sueur et de brindilles, les jambes et les mains égratignées, illuminé de joie. D'autres jours, tu prenais le tracteur, je maudissais l'odeur d'essence et le bruit infernal, mais tu partais loin sur la grande colline où tu ouvrais des chemins dans des lieux impénétrables, envahis de broussailles depuis près de vingt ans.

Tard, dans l'après-midi, quand le soleil n'atteignait plus la maison, mais frappait encore la colline, nous partions reconnaître les terres que tu avais découvertes quelques heures plut tôt. Nous en rapportions des pommes de pin et parfois une tortue, qui amusait les enfants. Presque chaque jour nous retrouvait assis sur le même tronc d'arbre d'où nous regardions le mouvement du soleil, la façon dont il abandonnait les pins parasols, puis la vigne, et enfin plongeait derrière la montagne. Nous emmenions souvent les enfants. Quand nous souhaitions être seuls nous partions furtivement, mais nos ruses ne réussissaient pas toujours et nous voyions alors deux petites silhouettes dévaler la pente puis remonter jusqu'à nous. Une minute de repos dans nos bras, le temps de reprendre haleine et il fallait raconter une histoire. Parfois, la disposition de leur esprit les amenait à poser des questions graves : « Pourquoi est-ce que le soleil fait cela tous les jours ? » Ils devenaient accessibles à la beauté et s'arrêtaient de parler ou d'exiger qu'on leur parle. Ils regardaient comme nous cet événement admirable qu'est le coucher du soleil.

« Et s'il ne revenait pas, le soleil ? »

Nous répondions que demain très tôt, avant leur réveil, le soleil serait là, qu'il éclairerait à nouveau l'endroit où nous étions assis.

« Et il aura bougé toute la nuit ?

— Oui, il ne s'arrête jamais, et nous bougeons aussi, et quand il fait nuit pour nous, il fait jour pour d'autres pays. »

Rien n'est plus sérieux que les conversations des enfants. Ils osent poser et résoudre les questions primordiales, ils vont au cœur même des choses. Nous parlions souvent de la mort avec eux. Je ne savais pas que, très vite, elle les toucherait de si près. « Il est mort, il dort », disaient-ils des sauterelles ou des lézards qu'ils trouvaient parfois autour de la maison. Pas de problème. Mais tout allait changer.

Quelques mois plus tard, ils découvraient ce que signifie « jamais plus » et celui d'entre eux qui souffrait le plus, parce qu'il en mesurait mieux la signification, me disait en parlant de toi :

« Donne-m'en un autre si celui-là est mort, j'en veux un qui lui ressemble. »

J'essayais d'expliquer, expliquer quoi ? Que l'amour...

« Mais on ne peut pas aimer un mort,

puisqu'on ne le verra plus jamais, me répondait-on. Et où était-il maintenant ? Est-ce qu'il nous voit ?

— Non, je crois qu'il ne nous voit pas. C'est nous qui le voyons dans notre souvenir.

— J'ai ses yeux et sa bouche, n'est-ce pas ? me disait-on fièrement.

— Et moi, j'ai tous ses gestes.

— C'est vrai.

— Mais son corps, tu l'as enterré où ? »

Je répondais : « Sur la colline », je n'arrivais pas à dire dans le cimetière. C'est que je t'aurais voulu sans cercueil, seul au pied d'un de nos arbres, là où nous aimions nous promener. Pourquoi nos rites de la mort sont-ils si lugubres, si peu naturels ? Les funérailles sur les bords du Gange ne suppriment pas la peine qui est affaire de chacun, mais elles ne cherchent pas à l'exprimer du dehors. Je voulais que nos enfants gardent de toi une vision lumineuse et que jamais ils ne soient effleurés par cette idée de putréfaction de ta chair qui m'avait poursuivie pendant des mois. Jamais je n'ai pu admettre que ta grâce et ta beauté soient devenues un objet de répulsion; j'ai suivi la décomposition de ton corps, elle m'a hantée. Je me disais que ce n'était rien, que tu ne le savais pas, que c'était un phénomène chimique, mais je voyais ton corps, tes yeux, tes lèvres, le tissu de ton costume et quand on disait devant moi à un enfant apeuré par une guêpe ou une mouche : « Les petites bêtes ne mangent pas les grosses », je pensais : si, justement, elles les mangent et jusqu'à la dernière bouchée. Oui, tout cela je voulais le garder pour moi et je n'étais pas non plus d'accord pour dire que tu étais au ciel, puisque ce n'était pas ce que nous pensions. J'essayais donc de te lier à la vie. Il s'est transformé, disais-je, il est devenu deux arbres et des fleurs; les abeilles les butinent, elles font du miel et nous mangeons du miel et comme cela, tout recommence.

Chacun a réagi avec sa nature :

« Beau comme il était, m'a dit l'un d'un air épanoui, il a dû faire de belles fleurs ! »

L'autre a réfléchi, silencieux. Le lendemain, il est venu vers moi.

« En somme, quand nous mangeons du miel, nous mangeons un peu de l'homme », m'a-t-il dit.

Je voudrais qu'ils t'aiment tel que tu étais. Comment te voient-ils dans leur souvenir ? Ils me racontent sans fin une certaine promenade dont je ne leur ai guère parlé et qui reste fixée dans leur esprit. Ce jour-là, tu as tué un petit serpent. Sur le moment, ils n'ont pas semblé y porter une attention particulière mais cette balade à deux cents mètres de la maison est devenue une expédition au cours de laquelle tu as vaincu un serpent très dangereux. Tu es le symbole du courage et de l'adresse et quand je leur parle d'autres promenades plus longues et plus extraordinaires, ils en reviennent toujours à celle-là.

Ils te cherchent, ils essaient de te connaître ou de te reconnaître à travers leurs souvenirs, les vrais et ceux qu'ils se fabriquent, tes photos, ce qu'on leur dit, les réminiscences surgies du fond d'eux-mêmes, confuses, mais qui se précisent devant moi parfois parce qu'un rien soudain les frappe, les met sur la voie, leur donne envie de fouiller dans leur jeune mémoire, de préciser ce qui n'était qu'une forme, une sensation vague; ils cherchent comme le photographe tourne la bague de son objectif pour rendre net le sujet choisi. Ils ne pourront se trouver eux-mêmes sans passer par toi.

Je leur vois des ressemblances qui me ravissent et me bouleversent. Elles sont souvent fugitives, elles vont et viennent de l'un à l'autre. C'est un geste, une façon de lacer un soulier, d'aimer les mêmes heures, les mêmes ciels, de s'éveiller le matin, un regard que je n'avais jamais remarqué, qui existait déjà peut-être, mais qu'il me semble voir naître. J'écoute et je contemple.

Je remonte le cours de la vie et te découvre à un âge auquel je ne t'ai pas connu. J'essaie de faire se rejoindre les images qu'ils me donnent et celles de tes vingt ans et ainsi de parfaire ma connaissance de toi.

J'écris, c'est comme si je dévidais un écheveau sans fin. Le fil que je tire me conduit vers toi, je n'avance pas dans un labyrinthe, je suis les spirales d'un coquillage. Je tente d'arriver au cœur de nous-mêmes. Quand je crois l'atteindre, je m'aperçois que ce n'était qu'une étape, qu'il faut aller au-delà encore, traverser des espaces de souvenirs et de sensations, me dépouiller chaque fois d'une enveloppe et qu'ainsi seulement j'arriverai dans ce monde que je pressens et désire. Je suis seule à connaître mes échecs et mes victoires. Parfois, je me sens avancer, je suis bien en moi-même, mais, tout d'un coup, il ne reste rien, ni colonne vertébrale, ni chair, un acide a tout dilué, le fil est coupé, je suis une petite tache informe où quelques nerfs se contractent en vain.

Inutile de lutter pied à pied, il faut faire une manœuvre de diversion, ce qu'on appelle se distraire et qui d'habitude me fait horreur. Je pars et je marche, sans penser à rien, en fuite devant moi-même. J'ai besoin de l'air sur mon visage, du sol bien solide sous mes pieds. Tout oublier, faire le vide. Quand je sens la fatigue, je suis presque sauvée. J'existe. Je reviens sur terre. Je suis étonnée de retrouver tout en place.

XII

Ce jour-là, au petit matin, on a ouvert les deux battants de la porte. Pendant un jour et demi, j'ai roulé derrière toi. Il me reste le souvenir d'une route qui n'en finit plus, de villages traversés, de voitures dépassées et nous, toujours derrière toi, poursuivant cette voiture noire chargée de fleurs que je me refusais à perdre de vue. Je ne me rappelle presque rien. Je n'ai pas même remarqué, cette fois-là, après Lyon, le glissement vers le Midi quand apparaissent les premiers cyprès et les premières fontaines entourées de platanes. Le ciel change alors et même s'il pleut, ce n'est pas la même pluie, le vent se passionne. Nous nous retrouvions chaque fois aussi éblouis et étonnés de l'être.

Je garde de cette course folle un souvenir à la fois précis et irréel. La voiture noire s'arrêtait devant un poste d'essence et nous attendions derrière elle, sans raison logique, mais pour ne pas te quitter alors que tu étais loin déjà, subissant ce long travail sur ton corps. Le soir, nous nous sommes arrêtés. On t'a mis « au garage ». J'ai rôdé autour de toi, ne sachant que faire, ne me décidant pas à aller me coucher, je caressais une fleur, je posais la main sur le drap noir qui recouvrait ton cercueil, je touchais la carrosserie. Je tournais en rond. Tout ceci était absurde : toi dans le garage, et moi, là-haut dans un lit tiède, ou toi dans un parking à l'heure du déjeuner. Je mangeais, je buvais, je n'avais aucune envie de pleurer. Je ne pensais ni à l'avenir ni même aux enfants que je n'avais pas revus depuis l'avant-veille et qui me confieraient plus tard comme ils s'étaient bien amusés chez leurs petits amis.

Le deuxième jour, nous avons atteint le cimetière. Là, je suis sortie de l'irréel. Je fixais la mer lointaine et grise comme le ciel. Je me souviens du bruit des fleurs lancées sur le bois, un son étouffé mais qui se répercutait en moi comme des vagues, à la chaîne, et bientôt la première pelletée de terre, un bruit mat, celui-là, brutal, qui se terminait en pianissimo perlé quand la terre roulait sur le bois, avant de trouver sa place définitive au plus bas de sa course. Nous étions seuls au monde, toi couché, moi debout. Mon regard traversait le bois et le plomb. J'aurais donné tout au monde, je dis bien tout, pour te voir surgir, vivant, me promener avec toi sur la colline ainsi que nous avions l'habitude de le faire, ou rester immobiles à regarder la mer. Dix minutes pas plus et puis la mort, la torture, n'importe quoi, mais te revoir.

Pour la première fois de ma vie je voulais l'impossible. Plus tard, un de mes enfants me demanda : « Toi qui peux tout, fais qu'il revienne un jour, rien qu'un jour; on fera une fête, on sera sage. Il verra qu'on est heureux. » Je dus expliquer mon impuissance et je compris que mon enfant avait découvert le sens du jamais plus et que, sans doute, comme moi, il ne pouvait s'y résoudre.

Une pluie fine s'est mise à tomber et l'horloge a sonné midi. Pas un souffle de vent. La pluie se posait sans bruit sur les feuilles des arbres et le mur de pierre où elle dessinait des traces sombres. La terre peu à peu cacha le cercueil. Bientôt il n'y eut plus de trou mais un monticule de terre fraîche et un amoncellement de fleurs.

Je sais maintenant ce qu'est un cimetière, comme d'autres savent ce que signifient les plaques qui, dans les rues de Paris, depuis l'occupation, indiquent qu'un résistant a été abattu et y retrouvent un visage déformé par les balles, une mare de sang, un corps étendu.

C'est à l'instant où j'ai posé le pied sur le quai de la gare à Paris, la gare qui était celle de nos retours de vacances (quand d'un mot nous projetions l'hiver en abandonnant l'été sans regret pour nous donner au temps qui allait venir), c'est à cette seconde-là, quand mon corps était en équilibre entre le marchepied et le quai et qu'il a penché vers celui-ci, que j'ai réalisé d'un seul coup — précis, glacé, comme un couperet — ce qu'allait être la solitude.

La tornade était passée, j'en sortais vivante. J'attendais le combat, je ne savais pas encore quel aspect il revêtirait, je faisais mes premiers pas dans un monde que je n'avais eu ni le temps ni le goût d'imaginer. Le calme de l'appartement et ce silence ! Les objets présents, à leur place, la moquette propre, les coussins gonflés comme s'ils n'avaient jamais servi, les fleurs fraîches, les derniers livres que nous avions lus à portée de la main et le lit. Seul un passé immédiat surnageait : quatre jours, et, très loin le commencement de ce passé, le jour de l'opération, vingt et un jours en tout, et, au-delà de l'abîme, sur l'autre rive, notre existence.

Finie, finie à tout jamais. Le temps précipitait ses vagues. Se noyer ou respirer, mais je ne voulais ni l'un ni l'autre, je refusais ce choix. La vie agissait en tyran : « Tu vis ou tu meurs, disait-elle et je restais sur place. Tu ne veux ni manger ni dormir, tu veux promener une mine défaite. » La vie me mettait dans mon tort. Je n'étais ni lâche ni courageuse. Les enfants me servaient de tuteur; quand ils étaient là, je me tenais bien, leur innocence, comme la tienne peu de temps avant, m'aidait. Je n'étais qu'une façade, mais sans elle, à certaine heures je me serais écroulée. J'ai connu l'immobilité qui n'est que le début de la mort. Dormir, perdre conscience, plonger dans le noir, mais dès que je fermais les yeux, une lumière aveuglante s'installait sous mes paupières. J'apprenais la solitude, sans merci et sans conflits, une surface polie et lisse qui part de vous et s'étend jusqu'à l'horizon; le regard ni la pensée ne peuvent rien embrasser qui ne soit elle. Je ne savais que faire de mes journées ni où fixer mon esprit. J'étais écrasée par toi, tu étais collé à mon visage, tu m'étouffais, toutes mes visions étaient liées à ta maladie, je voulais retrouver ce qu'avait été notre vie et j'étais aveuglée par ta mort. Je ne pouvais pas m'en dégager. Il aurait fallu m'arc-bouter contre ces portes fermées mais les heures passaient et les jours sans que je fasse rien. Je me forçais à accomplir les gestes convenables, je prononçais les mots que l'on attendait de moi. Je devenais un lieu désaffecté.

Je n'osais pas encore écouter de la musique, j'avais peur qu'elle me sorte de mon engourdissement et me précipite dans un monde à vif que je n'aurais pu supporter. Je n'essayais pas de réagir et j'ignorais de quel côté je basculerais, si je sombrerais ou me sauverais. L'instinct dictait un rythme que je suivais. Je maudissais la nuit mais ne pouvais y échapper. Je gardais assez de lucidité pour savoir qu'on ne peut sans honte prétendre avoir dépassé ce qu'on n'a pas encore atteint. Combien de fois avons-nous entendu le riche dire que l'argent ne fait pas le bonheur, le paresseux prétendre que toute action est du temps perdu, l'ignare affirmer que la culture ne fait pas l'homme, les femmes froides se vanter d'avoir dépassé l'amour charnel ou les impuissants dire que la passion platonique est la plus belle ? Trahison intentionnelle et subtile qui favorise la confusion. Il est vrai que l'argent ne fait pas le bonheur, que l'action peut être une fuite, que l'homme cultivé n'est pas nécessairement meilleur, que l'amour n'est pas que physique.

Quant à moi, c'était en touchant le fond de ce qu'on appelle le désespoir que je pouvais conserver un certain accord avec moi-même. Si un chemin restait ouvert, il passait par l'ombre et l'enlisement.

Pour le trouver, je devais parcourir la voie infernale où ta mort m'avait placée, ne pas chercher à m'étourdir, ne rien laisser dans l'obscurité, ne rien fuir et admettre le malheur comme j'avais accueilli la joie.

Je tournais en rond dans l'appartement, encerclée par les objets, irritée par l'émoi dont ils étaient la cause dérisoire. Que faire d'une brosse à dents, d'un rasoir, d'une eau de Cologne, d'un chandail désormais inutiles ? Brûler, garder, donner, jeter dans la Seine ? Brûler satisfaisait le sens de l'absolu, garder répondait à la tentation du moment. Mais allais-je devenir une femme repliée sur son passé, vouée à un culte stérile : les lettres qu'on relit, la photo qu'on étreint, les vêtements qu'on caresse ? Il m'arrivait de vendre un meuble ou d'en changer un autre de place, mais je laissais un livre où tu l'avais posé, parce qu'il m'aidait à redessiner dans l'espace le geste fait, le regard donné, la phrase jetée. Je tentais d'immobiliser le temps, d'éterniser le fugitif, je dressais des statues dans le vide. La nuit venue, j'entrais dans notre lit et j'y restais figée, immobile comme toi, murée quelque part avec toi, absente de moi-même.

J'attendais sans attendre. Des mois passèrent ainsi. On faisait l'inventaire de nos biens, on évaluait le montant de nos dettes, on estimait la valeur de ce qu'ensemble nous avions choisi, « sauf les bijoux et les objets personnels ». Je n'étais pas éteinte, mais sur le point de l'être.

XIII

Je ne me rappelle plus le jour où pour la première fois j'ai senti que tout n'était pas irrémédiablement perdu. Est-ce un sourire d'enfant qui m'a réveillée ou un signe de tristesse démasqué là où je ne voulais pas en voir ? Un sens de la responsabilité ? Avais-je enfin épuisé le désespoir ? Peut-être me suis-je simplement prise au jeu de la vie. La vérité a tant de facettes qu'il m'est impossible de préciser comment j'ai repris pied. Un jour, je me suis aperçue que j'avais cessé de n'être qu'une façade. J'existais, je respirais. Je voulais à nouveau agir sur les événements. Lentement, je me ressaisissais et je voyais ce qui restait de moi. C'est alors que j'ai commencé à ne plus subir la solitude, mais à me laisser apprivoiser par elle.

Elle m'est devenue familière, nous nous connaissons bien maintenant et je sais la regarder dans les yeux. Je parle d'elle avec des amis qui l'ont toujours tenue pour naturelle. Pour moi, rien au monde n'est plus beau qu'un couple et quand j'entends dire qu'aimer c'est perdre sa liberté et son intégrité je me demande si nous parlons du même sentiment.

Je me souviens d'un soir où je feuilletais un livre; mon regard tomba sur une sculpture que nous avions souvent regardée ensemble, un torse de femme comme un cri de joie lancé entre ciel et terre. Je restai hébétée, mais je ne tournai pas la page. Les images passées resurgirent, je vis un cinéma sans fin, j'entendis un chant de victoire, l'un et l'autre brisés un jour de novembre. Il me sembla sortir des terres enlisantes. J'étais seule dans ma chambre, mais je l'habitais complètement; elle me parut différente des autres jours. J'avais remis le doigt dans l'engrenage, je compris qu'il m'était à nouveau accordé de contempler la beauté.

Tout me faisait mal cependant, et plus que tout, les regards des couples entre eux, leur connivence par-dessus la foule, ce clin d'œil, comme deux oiseaux qui se rejoignent et prennent leur vol au-dessus des éclats de voix, de la fumée des cigarettes et des verres de whisky; rien d'autre n'existe plus, leur rencontre a remis le monde en place, la vie paraît juste, peu importe ce que l'on entend et ce que l'on dit, les oiseaux sont là, ils nous gardent et tout à l'heure, quand nous serons seuls dans la rue, nous les retrouverons. Pour moi, les deux oiseaux sont morts, mais je reste sensible aux autres vols et les décèle sans erreur.

Tout compte fait, je m'étonne qu'ils soient si rares.

Jamais je n'avais regardé la mort avec autant de désinvolture qu'au temps du bonheur. Vivre ou mourir m'était alors presque indifférent. A présent, la mort me préoccupait. J'y pensais en traversant la rue, en conduisant une voiture. Un rhume risquait de se transformer en congestion, un léger amaigrissement signifiait peut-être une maladie grave. Je sortais de mon engourdissement pour entrer dans ce monde à vif que j'avais redouté et où tout, je ne savais pour combien de temps, me blessait. Je me souviens de l'émotion qui m'avait saisie, Porte de la Villette, à la vue d'un camion chargé de chevaux qui allaient vers l'abattoir. Ces condamnés, même ceux-là, me ramenaient à toi. Un soir, dans l'autobus, j'étais restée hypnotisée par une petite tête de mort en ivoire qui se balançait au bout d'une chaîne d'or; la fille qui la portait était jolie, très jeune, les yeux faits et les lèvres pâles, mon regard arrachait sa chair pour découvrir son ossature et je voyais deux têtes de mort auxquelles se substitua celle qui me hantait.

J'évitais la place Saint-Sulpice. J'y étais passée bien des fois pendant ta maladie; un matin j'avais remarqué un magasin des pompes funèbres si commodément placé près de l'église. De belles photos d'enterrement parfaitement organisés et de cercueils confortables entourés de grands cierges étaient exposées à la vitrine. La pensée avait jailli : ce serait là qu'on s'adresserait pour toi. Je n'avais pas pressé le pas et pourtant, mille oiseaux noirs battaient des ailes dans ma poitrine. Une seule exigence m'animait, te retrouver, te toucher. Tu dormais encore quand j'étais entrée dans notre chambre. Je m'étais retirée sur la pointe des pieds, j'avais pris un livre en attendant ton réveil. Je n'avais rien lu, en vérité, mais j'avais eu le temps de me reprendre. Quand tu m'as appelée, je t'ai donné le visage calme que tu attendais et en t'embrassant, j'ai savouré désespérément ces lambeaux de présent qui me restaient encore. La marée montait, je savais ne rien pouvoir contre elle et cependant je continuais à lutter pied à pied. Pendant ma course dans la rue Saint-Sulpice, je n'avais rien souhaité de plus que te revoir vivant. Je me contentais de miettes que je dévorais comme une affamée. Que restait-il de notre fier bonheur ? Mais tu avais bien dormi, tu te trouvais moins fatigué que la veille. Tu avais avalé ton café au lait d'un seul trait et presque une baguette de pain : « J'ai faim, j'ai faim. » Je voyais tes yeux pâles et le bord rouge de tes paupières. « Il y a trois jours, j'étais à la clinique, ça va vite », avais-tu dit. Oui, tu n'as rien su. Ce fut une matinée comme les autres, sur le chemin de ta convalescence. Je t'écoutais parler et je cherchais jusqu'où me conduiraient le besoin et l'amour de toi. Je retrouvais les mêmes limites que celles que je m'étais fixées la nuit de ton opération : qu'il ne souffre pas, qu'il ne sache pas. Ce devait être ma seule règle. Je te regardais jusqu'au fond de l'âme et tu te laissais faire. Combien d'années ou de minutes avions-nous mis pour atteindre chez l'autre cette part secrète, bien plus profonde encore que le sentiment, où la raison et l'instinct sont d'accord. J'avais aimé notre recherche de la difficulté, notre méfiance de l'émotion à fleur de peau. Nous avions voulu faire brûler chez l'autre ce qui est le moins prêt à s'enflammer. Depuis la naissance de notre amour, nous n'avions cessé de nous explorer, de nous éclairer. Nous nous étions livrés l'un à l'autre, désarmés, nous avions rejeté la loi de la jungle.

Je rêvais, pendant que tu étais là encore, d'une dernière conversation. J'aurais voulu que tu me parles de tout, de toi, de nous, du monde, de ce que tu pensais sur chaque chose, être bercée par ce que tu aurais dit, chuchoté, répété, m'endormir avec ta voix, me réveiller avec elle, me nourrir, faire provision de tes paroles.

Le dernier soir, tu as continué à lire après moi. Tu m'as demandé si la lumière ne me gênait pas. Non, elle me permettait de te voir entre mes paupières presque fermées. Je t'entendais tourner les pages, tout m'était permis, sauf de pleurer, mais je n'en avais nulle envie. J'essayais de prendre refuge dans notre passé, mais je n'osais t'en parler. Il n'était pas dans nos habitudes d'évoquer nos souvenirs et tu aurais pu trouver étrange que tout à coup je pense davantage à ce qui avait été, qu'à l'avenir. Je partais donc seule pendant que tu lisais ou dormais.

Au début, nous ne possédions qu'une part infime de vie commune, une heure, un jour, puis un mois. Je me lovais dans ce petit passé trop étroit. Je savais qu'il s'agrandirait mais nous n'en parlions pas. Nous avions des élans et des retenues. Nous nous tenions encore sur la réserve, chacun guettait l'autre et cherchait le sens d'un mot. Le « on » nous servit de transition entre le « je » et le « nous ». Nous l'employâmes longtemps. Un jour le « nous » apparut, dit comme par accident, puis il fut rejeté; sans doute n'y étions-nous pas encore prêts. Plus tard, le « on » devint l'exception. Nous commencions à construire notre vie et du jour où ceci fut admis et reconnu, nous comprîmes que depuis longtemps déjà nous retenions ce désir. D'un seul coup, nous fûmes riches de centaines d'instants, d'événements vécus ensemble et gardés dans notre mémoire parce qu'ils nous avaient réunis. Parfois la présence d'un étranger nous rendait plus hardis. Je parlais d'une promenade sous la pluie, tu disais qu'un ciel chargé de nuages peut être beau et que tu avais vu un verger de pommiers perdre ses fleurs sous l'orage; seuls nous n'aurions soufflé mot de cet après-midi qui nous tenait au cœur. Nous nous apprivoisions. C'était un long travail et qui engageait si complètement notre vie que, parfois, nous en étions effrayés. Alors, faisant volte-face, sans que rien ne soit dit, nous cessions de nous voir.

Notre amour était déjà trop ambitieux pour qu'il puisse faire la moindre part à la vanité. Nos raisons restaient nobles. La confiance existait mais nous avions besoin de ces haltes pour faire le point avec nous-mêmes, nous convaincre que nous étions libres encore de choisir notre avenir, indépendants dans nos actes et nos goûts. Nous nous retrouvions sans émotion apparente, rassurés de paraître invulnérables. Que j'aimais cette distance que nous gardions !

Notre rencontre aurait pu n'être qu'un instant merveilleux, un beau souvenir sans risque qui n'aurait en rien modifié le cours de nos vies. Rien n'est moins aventureux que les aventures. On n'y donne rien d'essentiel, grâce à quoi on pense se garder, mais on le fait si mal, que, d'aventure en aventure, à force d'employer des mots et des gestes immérités on se perd peu à peu, comme un tissu est mangé par le temps avant d'avoir servi.

XIV

Le jour de ton enterrement, quand j'ai quitté le cimetière, j'ai su que j'y reviendrais souvent. J'aurais pu être la même, t'aimer également et n'y entrer plus jamais. Le premier soir, en fermant mes volets, j'ai entrevu le ciel sans lune, immense, écrasant. J'étais seule sur la terre. Les nuages qui filaient, j'aurais voulu qu'ils m'emportent. J'ai tiré les rideaux comme un animal se terre dans son trou. Il ne fallait plus que je regarde le ciel, ni rien de ce que j'aimais. Comment ferais-je pour supporter la vue des enfants ? Depuis trois jours je n'avais plus pensé à eux.

Le lendemain, je suis allée te retrouver. Un rendez-vous insensé, un monologue de plus. Je restais au-dehors de la réalité sans pouvoir y entrer. Me répéter les choses n'avançait à rien. Ta tombe était là, j'avais les yeux dessus, je touchais la terre et sans que j'y puisse rien, je me mettais à croire que tu allais arriver, un peu en retard, comme d'habitude, que bientôt je te sentirais près de moi et qu'ensemble nous regarderions cette tombe à peine refermée.

J'avais beau me dire que tu étais le mort, la méprise recommençait. Tu ne venais pas, mais tu m'attendais dans la voiture et un petit espoir fou, que je savais fou, me prenait.

« Oui, il sera dans la voiture. » Et, la trouvant vide, je me protégeais encore, comme un répit que je voulais me donner : « Il se promène sur la colline », me disais-je. Je redescendais vers la maison et, tout en parlant avec des amis, je te cherchais sur la route, sans y croire, bien sûr.

Ce soir-là, je suis repartie pour Paris. Il m'a semblé t'abandonner. Je n'avais fait que cela, degré par degré, depuis trois semaines, depuis ton départ sur le chariot dans le long couloir blanc, t'abandonner à ton destin, te suivant, t'accompagnant le plus loin possible, mais restant dans le monde des vivants, tandis que tu t'éloignais, sans le savoir et que je lisais ton départ dans tes yeux et dans ton sourire.

Je suis revenue l'été suivant. Les premières vacances sans toi. J'avais quitté Paris par une chaleur accablante. Dès l'aube j'ai regardé filer les collines, les cyprès, les vignes, la mer qui semble naître de la brume et se distingue à peine du ciel. Je retrouvais cette absence de couleur, ce frémissement de la lumière. Et j'ai compris que sans me l'être avoué, je me préparais encore à un rendez-vous, que cette pensée sourde avait décidé de mon retour. Mes contradictions resurgissaient : te fuir et te rechercher, faire d'un cimetière notre lieu de rencontre et dire ou croire que seuls désormais le souvenir et nos enfants te prolongeaient. En dépit de ma raison, j'allais vers une image de toi que je savais ne plus exister, la dernière, avant que des hommes en noir ne t'enferment dans la toile fine et le plomb. Je n'avais de cesse d'aller vers toi, de voir les deux arbres et la bordure de pierre. Que pouvais-je espérer ?

Je roulais vite, la rage dans le cœur. Il faisait parfaitement beau et les enfants chantaient. Je restai stupéfaite de retrouver la maison intacte. J'avais espéré je ne sais quelle folie, un champ de bataille, des ruines, des arbres calcinés, une terre de cendres, la vigne nue; mais tout avait conservé sa grâce immuable. Je retrouvais les cigales, le vent dans le platane, les pins roux et verts, les herbes hautes, la prairie décolorée, le bougainvillée, les géraniums devenus sauvages, la glycine exubérante. Nulle trace de combat sur la terre virgilienne, comme je l'appelais.

Je ne modifierais pas le monde parce que tu n'étais plus sur terre. J'ai laissé les enfants et je suis montée près de toi. C'était l'heure du plein soleil qui tue les fleurs. Les arbres avaient grandi, la terre s'était affaissée. J'ai cru longtemps à la paix des cimetières. Nous aimions aller saluer la tombe de Van Gogh et de Théo à Auvers. Nous aimions le lierre qui les couvrait, nous disions qu'un cimetière est calme et serein, comme il fait bon rentrer chez soi, sentir la chaleur du feu quand le jour finit et que l'on est deux pour regarder monter la lune, entendre les chouettes, écouter avec confiance le silence. Mais ce jour-là, en face de toi, le ciel bleu, les cyprès presque noirs, la brise délicate n'étaient qu'un décor. Mon regard allait aux choses cachées, à la vie souterraine, inhumaine où chacun pourrissait seul, toi comme les autres, à un mètre de moi.

Combien d'années faudrait-il, quelques centaines sans doute, pour que les corps simples qui te composaient s'intègrent aux couches du terrain et que tu redeviennes poussière, sel de la terre, quelques poignées de sable qu'un homme futur laisserait couler entre ses doigts, comme nous aimions le faire, les yeux fermés, le corps allongé, face au soleil, les bras en croix, tandis que nos mains jouaient au sablier, attentives à la finesse du sable, à sa douce chaleur vivante.

J'imaginais comme une pluie d'étoiles ces milliards de cellules rassemblées pour former l'être aimé et qui, plus jamais ne se répéterait exactement. Tout d'un coup je me sentis raisonnable. Il n'y avait pas de rendez-vous. Il y avait moi seule devant toi mort, moi devant le vide. Je pouvais ressusciter ta voix, réentendre nos conversations, revoir tes gestes, je pouvais aussi inventer le présent, établir un dialogue imaginaire mais, en vérité, je n'avais rien à attendre de toi. C'était cela la réalité. Tu étais absent au monde et à tout jamais. Une petite voix sans merci que je connaissais bien me répétait : « Vis ou meurs, mais décide-toi, il faut savoir choisir. »

J'eus le sentiment, ce jour-là, de n'être pas faite pour la sérénité, peut-être la trouverai-je demain, dans dix ans ou jamais. En rentrant, je vis de la route les enfants qui s'amusaient. Ils avaient retrouvé leurs jouets et installaient la petite table blanche. Ils se préparaient à l'été.

Je fus à deux doigts de détruire leur plaisir et de les emmener là-haut pour qu'ils sachent qu'il n'y a pas de justice, mais je fus sage et je partis avec eux faire la promenade rituelle. Depuis un an les jeunes vignes avaient poussé, d'autres portaient déjà les premiers raisins.

Tout continuait. Une fois de plus — mais je savais que mes défaillances seraient nombreuses — je décidai de continuer moi aussi : être une plante intelligente, s'adapter au rythme des saisons, respirer profondément, dire « oui » et sentir battre son cœur. Les enfants furent tendres, chacun me tenait par la main, j'eus peur qu'ils n'aient découvert mon trouble. Je me sentis responsable et donc sauvée pour aujourd'hui. Je proposai de raconter une histoire, mais une histoire de quoi ?

« Raconte-nous l'histoire d'un petit taureau. »

Et je racontai l'histoire du petit taureau noir qui vivait heureux en Camargue avec sa maman et que les hommes vinrent chercher un jour pour une course.

« Il ne va pas mourir, n'est-ce pas ?

— Non, sûrement pas, il va vaincre tous les obstacles.

— Si c'est sûr qu'il ne meure pas, fais-lui courir de grands dangers. »

J'expliquais en détail comment il avait fait pour ne pas être tué par le toréador. Il était intelligent, drôle, il lisait l'heure et il savait qu'après quinze minutes de combat il aurait la vie sauve. Il avait lutté bravement sans jamais se laisser approcher, il avait compris que l'épée de mort était cachée sous la cape rouge. Tout le monde riait parce qu'il déjouait les ruses de l'homme et, quand l'heure avait sonné, une immense acclamation s'était élevée des arènes. La foule debout criait : *Viva el toro.* Le soir même il était rentré chez lui. C'était la première fois qu'un taureau revenait d'une pareille aventure. Il fut accueilli comme un héros et bien sûr il se maria et eut beaucoup d'enfants.

Les enfants écoutaient. Nous avions cessé de marcher et nous étions retrouvés sans y avoir pensé, assis sur le tronc d'arbre familier. J'étais devenue experte à poursuivre deux idées à la fois, je m'entendais parler, c'était bien moi, mais si amputée par ton absence que je me reconnaissais à peine. La campagne était d'une beauté ineffable. Des flashes éclataient dans le soleil comme si le ciel n'avait été là que pour servir d'écran aux images que je faisais naître; un feu d'artifice doux et cruel qui se diluait dans l'air, ou des éclairs trop précis, comme des fragments de toi qui me foudroyaient sans m'enlever la vie. Mon regard se faisait main pour saisir un sourire, un pas jumelé, ta jambe gauche et ma jambe